中央美術學院

美术馆藏精品大系

SELECTED ARTWORKS FROM THE
CAFA ART MUSEUM COLLECTION

总 主 编　范迪安
执行主编　苏新平　王璜生　张子康
Editor-in-Chief　Fan Di'an
Managing Editors　Su Xinping, Wang Huangsheng, Zhang Zikang

外国艺术卷
ART FROM ABROAD

上海书画出版社

目
录

I

总序

范
迪
安

中
央
美
术
学
院
院
长

中央美术学院乃中国现代历史之第一所国立美术学府。自 1918 年中央美术学院前身——北京美术学校初创之始，学校即有意识地收藏艺术作品，作为教学的辅助。早期所收藏品皆由图书馆保管，其中有首任中国画系主任萧俊贤的多幅课徒稿、早期教授西画的吴法鼎和李毅士的作品，见证了当时的教学情况与收藏历史。1946 年，徐悲鸿先生执掌国立北平艺术专科学校后，尤其重视收藏工作，曾多次鼓励教师捐赠优秀作品，以充实藏品。馆藏李可染、李苦禅、孙宗慰、宗其香等艺术家的多幅佳作即来自这一时期。

1949 年 3 月，徐悲鸿先生在主持国立北平艺专校务会时提出了建立学院陈列馆的设想。1950 年，中央美术学院成立，陈列馆建设提上日程。1953 年，由著名建筑师张开济先生设计、座落于北京王府井帅府园的中华人民共和国第一个专业美术馆得以落成，建筑立面上方镶嵌有中央美术学院教师集体创作的、反映美术专业特征的浮雕壁画。这座美术馆后来成为中央美术学院陈列馆，此后，学院开始系统地以购藏方式丰富艺术收藏，通过各种渠道购置了大批中国古代书画、雕塑及欧洲和苏联的艺术作品等。徐悲鸿、吴作人、常任侠、董希文、丁井文等先生为相关工作付出了诸多心血。如常任侠先生主持了一批 19 世纪欧洲油画的收藏，董希文先生主持了诸多中国古代和近代艺术珍品的购置。值得一提的是，中央美术学院引以为傲的优秀毕业作品收藏也肇始于这一时期。

改革开放以后，中央美术学院的教学交流活动和国际学术交流日益蓬勃，承担收藏、展示的陈列馆在这一时期继续扩大各类收藏，并在某些收藏类型上逐渐形成有序的脉络，例如中央美术学院的优秀学生作品收藏体系。为了增加馆藏，学院还曾专门组织教师在国际著名博物馆临摹经典油画。而新时期中央美术学院的收藏中最有份量的是许多教师名家的捐赠，当时担任院长的靳尚谊先生就以身作则，带头捐赠他的代表作品并发起教师捐赠活动，使美术馆藏品序列向当代延展。

2001 年，中央美术学院迁至花家地校园后，即筹划建设新的学院美术馆。由日本著名建筑师矶崎新设计的学院美术馆于 2008 年落成，美术馆收藏也迈入新的发展阶段。一是藏品保存的硬件条件大幅提高，为扩藏、普查、研究夯实了基础；二是在国家相关文化政策扶持和美院自身发展规划下，美术馆加强了藏品的研究与展示，逐步扩大收藏。通过接收捐赠，新增了滑田友、司徒乔、秦宣夫、王式廓、罗工柳、冯法祀、文金扬、田世光、宗其香、司徒杰、伍必端、孙滋溪、苏高礼、翁乃强、张凭、赵瑞椿、谭权书等一大批名家名师和中青年骨干的作品收藏，并对李桦、叶浅予、王临乙、王合内、彦涵、王琦等先生的捐赠进行了相关研究项目，还特别新增了国际知名艺术家的收藏，如约瑟夫·博伊斯、A·R·彭克、马库斯·吕佩尔茨、肖恩·斯库利、马克·吕布、阿涅斯·瓦尔达、罗杰·拜伦等。

文化传承是大学的重要使命，艺术学府尤当重视可视文化的保护、传承与弘扬。中央美术学院美术馆在全国美术馆系里不仅是建馆历史最早行列中的代表，也在学术建设和管理运营上以国际一流博物馆专业标准为准则，将艺术收藏、研究、保护和展示、教育、传播并举，赢得了首批"国家重点美术馆"的桂冠。而今，美术馆一方面放眼国际艺术格局，关照当代中外艺术，倚借学院创造资源，营构知识生产空间，举办了大量富有学术新见的展览，形成数个展览品牌，与国际艺术博物馆建立合作交流，开展丰富的公共教育和传播活动；另一方面，积极开展艺术收藏和藏品的修复保护，以藏品研究为前提，打造具有鲜明艺术主题的展览，让藏品"活"起来，提高美术文化服务社会公众的水平。例如，在国家艺术基金的支持下，以馆藏油画作品为主组成的"历史的温度：中央美术学院与中国具象油画"大型展览于 2015 年开始先后巡展全国十个城市，吸引了两百一十多万名观众；以馆藏、院藏素描作品为主体的"精神与历程：中央美术学院素描 60 年巡回展"不仅独具特色，而且走向海外进行交流，如此等等，都让我们愈发意识到美术馆以藏品为基、以学术立馆的重要性，也以多种形式发挥藏品的作用。

集腋成裘，历百年迄今，中央美术学院的全院收藏已蔚为大观，逾六万件套，大多分藏于各专业院系，在教学研究和学术交流中发挥作用，其中美术馆收藏的艺术精品达一万八千余件。值此中央美术学院百年校庆之际，在多年藏品整理与研究的基础上，在许多教师和校友的无私奉献与支持下，中央美术学院美术馆遴选藏品精华，按类别分十卷出版这套《中央美术学院美术馆藏精品大系》，共计收录一千三百余位艺术家的两千余件作品，这是中央美术学院首次全面性地针对藏品进行出版。在精品大系中，除作品图版外，还收录有作品著录、研究文献及艺术家简介等资料，以供社会各界查阅、研究之用。

这些藏品上至宋元、下迄当代，尤以明清绘画、20 世纪前半叶中国油画、1949 年以来的现实主义风格绘画为精。中央美术学院的历史既是一部中国现代美术教育的历史，也是一部怀抱使命、策群策力、积极收藏中国古代书画、现当代艺术和外国艺术的历史，它建校以来的教育理念及师生的创作成为百年来中国美术历史的重要缩影，这样的藏品也构成了中央美术学院美术馆的收藏特点，成为研究中国百年美术和美术教育历程不可或缺的样本。

发展艺术教育而不重视艺术收藏，则不能留存艺术的路径和时代变化。艺术有历史，美术教育也有历史，故此收藏教学成果也构成了历史的一部分，它让后人看到艺术观念与时代的关系。如果没有这些物证，后人无法想象历史之变，也无法清晰地体会、思考艺术背后的力量和能量。我们研究现代以来中国美术教育的历史，不仅要研究艺术创作史、教育理念史，也要研究其收藏艺术品的历史。中国美术教育的一个重要特色，即在艺术学府里承担教学的教师都是在艺术创造上富有造诣的艺术家，艺术名校的声望与名家名师的涌现休戚相关。百年来中央美术学院名师辈出、名家云集，创作了大量中国美术经典和优秀作品，描绘和记录了中国社会的沧桑巨变，塑造和刻画了中华民族的精神气象，表现和彰显了中国艺术的探索发展，许多作品由中国国家博物馆、中国美术馆等重要机构收藏，产生了极为广泛和深远的社会影响。把收藏在学院美术馆的作品和其他博物馆、美术馆的藏品相印证，可以进一步认识中央美术学院在中国美术时代发展中的重要地位；对馆藏作品的不断研究和读解，有助于深化对美术历史的认知和对中国美术未来路向的思考。

优秀艺术作品的生命是永恒的，执藏于斯，传布于世，善莫大焉。这套精品大系的出版，是献给中央美术学院建校 100 周年的学术厚礼，也是中央美术学院在新时代进一步建设好美术馆的学术基础。所有的藏品不仅讲述着过往的历史，还会是新一代央美人的精神路标，激励着他们不断创新艺术，创造出无愧于时代和人民，也无愧于可被收藏的艺术。

II

分卷前言

在中央美术学院美术馆藏的众多艺术作品中，外国艺术家的作品收藏是其中很有特点和重要的构成部分。纵观国内美术馆现状，多数没有国际艺术家作品收藏，有的也是零星艺术家个人收藏和专题性捐赠收藏，都未能形成清晰完整的美术史脉络。中央美术学院美术馆的外国艺术家作品收藏同样也是这种状况，有着特定的历史原因和鲜明的时代特色。然而，这些藏品虽未能构成完整的美术史研究脉络，但经过认真梳理、鉴别之后，我们从中不难看出中央美术学院美术教育和美术馆发展变化的一个珍贵侧面和真实面貌。

中央美术学院美术馆藏外国艺术家作品主要有两个来源，其一是艺术家本人或学院教师集中捐赠和购买的。例如伍必端先生，他是 20 世纪 50 年代国家公派苏联学习版画的艺术家，也是中央美术学院版画系创建和早期教学的重要教员。他在留学期间，通过老师奖励赠予和与苏联同学互相交换作品，收藏了一批版画作品，且版种多样、水平较高，很有时代特色和代表性。伍必端先生在 2005 年将这批珍贵的版画作品精选之后捐赠给学院。孙景波先生也曾经赴俄罗斯考察，并为学院购买了一批油画和素描作品，其中就有一件安德烈·安德烈耶维奇·梅尔尼科夫的油画《夏天》。同时期还有中国代表团赴俄罗斯访问交流，也带回一些苏联艺术家的作品并捐赠学院。日本艺术家矢崎千代二先生于 1938 年第三次来到中国，在中国游历创作近十年，抗战胜利以后，他将创作的粉画作品 1008 件全部捐赠给了当时的教育部门，留在中央美术学院前身——教育部特设北平临时大学第八分班保存。徐悲鸿先生接管国立北平艺专科学校之后，还曾将矢崎千代二先生聘为教员。这批作品表现的是 20 世纪 20 年代至 40 年代世界各地的风景建筑和社会百态，不仅具有很高的艺术水准，同时对于我们研究人文和历史也具有很好的史料价值。馆藏外国艺术家作品中还有一些欧洲油画也十分珍贵，其中大部分是由国立北平研究院在 1930 年委托当时的中法大学校长孙佩苍先生在欧洲征集，后来于 1935 年和 1950 年分两批，由北平研究院和中国科学院划拨给了国立北平艺专和中央美术学院保存。中国科学院划拨的部分由常任侠先生代表学院接收，其中有许多法国艺术家的重要作品，例如古斯塔夫·库尔贝的《妇女头像》，阿尔贝·弗里埃的《人体卧像》，艾克特·阿诺多的《妇女纺线》，伊西多尔·亚历山大·奥古斯丁·皮尔斯的《巴黎歌剧院壁画稿》等等。

馆藏外国艺术家作品的第二个来源是国际艺术交流。从 20 世纪 50 年代起，就有各国驻华领使馆和国际友人将本国艺术家作品赠送给中央美术学院的记载，其中不乏像苏联艺术家克拉夫钦科、特卡乔夫兄弟，日本艺术家加山又造等艺术家的代表作品。1957 年，在中国与东欧国家的文化交流中，王曼硕先生还曾为中央美术学院带回了一批乌克兰基辅美术学院捐赠的师生版画作品。2000 年之后，中央美术学院搬迁到花家地新校区，随着学院全学科教学的发展和国际交流活动的频繁，国际化的新建美术馆落成使用，外国艺术家作品的展览和交流也日益增多，借此契机，美术馆代表学院接受捐赠或主动收藏了一批国际著名艺术家的当代作品。例如德国艺术家 A·R·彭克、约瑟夫·博伊斯、马库斯·吕佩尔茨、路易吉·克拉尼和福尔克·阿布斯，美国艺术家小野洋子、凯文·克拉克、阿瑟·C.丹托，爱尔兰艺术家肖恩·斯库利，韩国艺术家河东哲，丹麦艺术家比扬·诺格，法国艺术家瓦莱丽·古塔尔，智利艺术家何塞·万徒勒里等人的代表作品。这些藏品多数来自收藏家、艺术机构、驻华使馆等的捐赠，它们的入藏，极大地扩充与丰富了中央美术学院美术馆的外国当代艺术作品馆藏。

通过对现有馆藏外国艺术家作品的整理研究，我们可以对它们的特征和面貌进行初步总结。其中，油画作品以

19 世纪法国艺术家的为主，题材集中为人像、静物和风景，风格面貌也较为多样，涵括了新古典主义、浪漫主义、写实主义和印象主义等艺术运动和思潮影响下产生的艺术作品，例如弗罗伦·威莱姆斯的《梳妆女像》、塞拉斯基的《半身男像》、保罗·比瓦的《静物》、艾恩·凡·马兹克的《牧牛图》等等。还有部分 20 世纪苏联和俄罗斯艺术家的作品，例如康斯坦丁·梅福季耶维奇·马克西莫夫的《风景》、菲利片科的《看书女子》、安德烈·安德烈耶维奇·梅尔尼科夫的《女人体》、亚博隆什卡的《金色威尼斯》、卡柳塔的《玛利亚》等等。值得一提的是，康斯坦丁·梅福季耶维奇·马克西莫夫的作品《风景》，即为他在 20 世纪 50 年代应邀到中国举办油画训练班时期创作并捐赠给中央美术学院的，可以说，这件作品见证了中国现代油画教育发展历程中的重要时刻，以及马克西莫夫与中国的友谊。法国和苏联为主的油画作品收藏也反映出特定历史时期，中国油画教育中以学习法国写实主义和苏联社会主义现实主义为主的教学体系。当代外国艺术家作品以 2000 年之后收藏的较为集中，其中涵盖的国家也增多起来，包括德国、英国、美国、法国、意大利、荷兰、丹麦、澳大利亚、印度、爱尔兰、智利、日本和韩国等等。作品类别也日渐丰富，抽象绘画、雕塑、装置、设计和摄影作品等都有涉猎。（摄影作品因纳入《中央美术学院美术馆藏精品大系·现当代摄影卷》，故不在《外国艺术卷》中重复出现，特此说明。）

作为一所大学的美术馆，中央美术学院美术馆的馆藏作品在不同历史时期，在学院教学、研究、出版和展览交流活动中发挥了重要作用，并带有鲜明的时代特点。很多重要作品都是学生临摹学习、鉴赏观摩的良好范例，在特定历史时期为中国艺术家和学生学习了解外国美术提供了有效的原始资料。中央美术学院美术馆在 20 世纪 90 年代曾举办过"中央美术学院藏欧洲油画原作展"，并出版简版画册。因当时的收藏研究、展览和出版条件有限，只展出了一小部分作品，但仍引起学界的热议和关注。中央美术学院在这之后也持续对收藏的外国艺术作品进行整理和研究。

在本卷的编写过程中，我们发现国内的美术馆收藏工作，尤其是早期工作中，存在一定的作品信息不全不清的情况，特别是对作者的信息记载极为不完整。美术馆收藏的外国作品的作者多数只有中文音译名而无原名记录，为本卷的编写工作带来不小困难。本卷工作组通过原作署名鉴别比对和咨询相关美术史、翻译专家，尽可能地在保证准确的前提下提供较为完整的作品信息。虽几经努力，仍有部分作品存在手写签名无法辨识和作者目前无法查证等情况，在此借出版之机，希望相关领域的研究学者可以在现有基础上深入考证，为我们补充完善资料或提供研究线索。这也再一次提醒我们，做收藏工作时第一时间掌握记录作品完整信息资料的重要性。

《中央美术学院美术馆藏精品大系·外国艺术卷》的编写，得到了邵大箴、易英、李建群、邵亦杨、王云、于润生等老师的指导和帮助，对此我们深表感谢！本卷的出版是中央美术学院美术馆和学院的美术史学者在藏品研究工作领域的阶段性成果，日后我们将进一步研究和挖掘馆藏外国艺术珍品。与此同时，我们也希望该卷能够为艺术家和学生们提供一批有益的资料。最后，向曾经捐赠艺术作品的国内外机构、艺术家及家属表示诚挚谢意！

唐斌

Ⅲ

藏品图版

[比利时] 弗罗伦·威莱姆斯
Florent Willems

梳妆女像

19世纪
77cm×53cm
布面油彩

佚名

荷马诗意

约 19 世纪
100cm × 81cm
布面油彩

[西班牙] 马里亚诺·福图尼
Mariano Fortuny

吸烟者

1861年
48cm × 32cm
木板油彩

[法国] 阿尔贝·弗里埃
Albert Foorie

人体卧像

1880年
55cm × 45cm
布面油彩

[法国] 伊西多尔·亚历山大·奥古斯丁·皮尔斯
Isidore Alexandre Augustin Pils

巴黎歌剧院壁画稿

19世纪
80cm × 154cm
布面油彩

［西班牙］爱德华多·莱昂·卡里多
Eduardo León Garrido

全身女像

约 20 世纪
54cm × 46cm
布面油彩

018

[法国] 爱德华·玛丽·纪
尧姆·杜博夫
Édouard Marie
Guillaume Dubufe

妇人像

1893年
61cm × 23cm
布面油彩

[法国] 让·保罗·劳伦斯
J. Paul Laurens

军官背影

19世纪
41cm×27cm
布面油彩

[法国] 奥古斯特·费杨·佩兰
Augustin Feyen-Perrin

女人像

约 19 世纪
75cm × 44cm
布面油彩

A. SERATZKI

[俄国] 塞拉斯基
A. Seratzki

半身男像

约 19 世纪
55.5cm × 46cm
布面油彩

佚名

男子头像

约 19 世纪
61.5cm × 40.5cm
布面油彩

[法国] 佚名
女半身像

年代不详
53cm × 43cm
布面油彩

A MADEMOISELLE M BERNHEIM -
PH. PAVY
1890 -
MENTON -

[法国] 飞利浦·巴威
Philippe Pavy

女半身像

1890年
20cm×14cm
布面油彩

佚名

女头像

约 19 世纪
46cm × 38cm
布面油彩

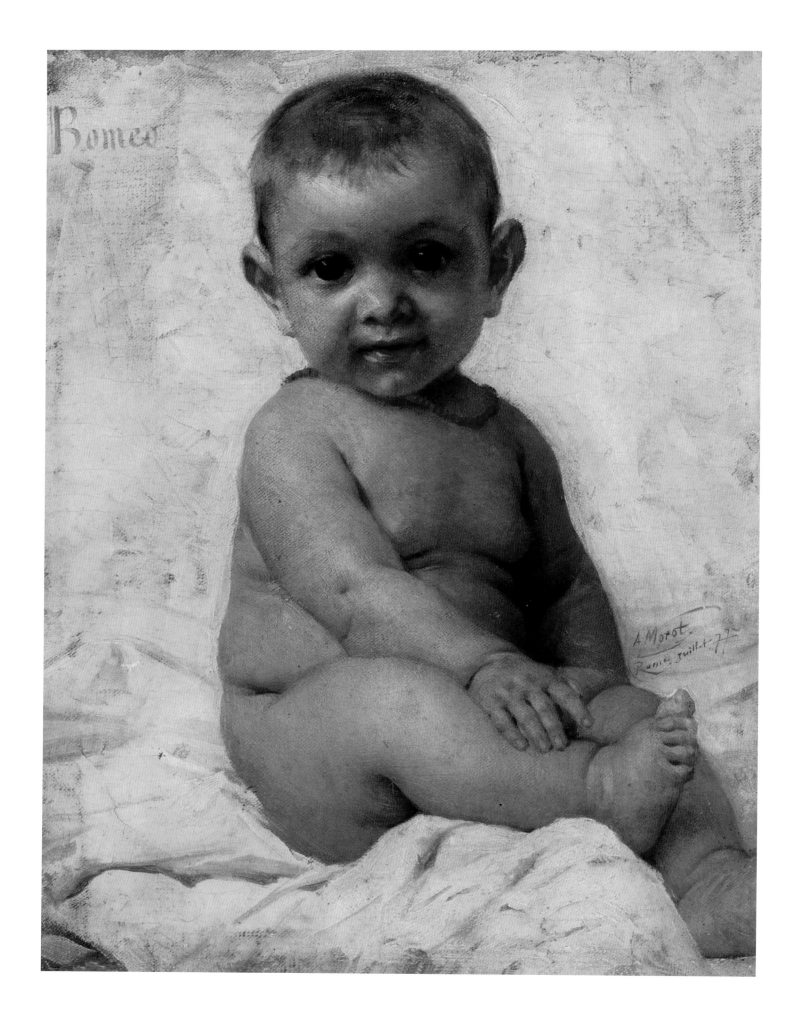

[法国] 阿·莫罗
Aimé Morot

婴儿像

19世纪
28cm × 21cm
布面油彩

佚名
病童

约 19 世纪
46cm × 38cm
布面油彩

佚名
母亲和她的女儿

约 19 世纪
37cm × 46cm
布面油彩

佚名

女子看画

约 19 世纪
46cm × 38cm
布面油彩

032

[法国] 贝莱斯
Vélez

二人座谈

1885年
41cm × 32.5cm
布面油彩

[法国] 沃特
H. Vollet

四女郎

约 19 世纪
73cm × 55cm
布面油彩

佚名
取水女郎

约 19 世纪
73cm × 42cm
布面油彩

[法国] 奥古斯特·费杨·佩兰
Augustin Feyen-Perrin

风车

1875年
55cm × 33cm
布面油彩

036

[法国] 曼休
革命的一个场面

19世纪
50cm × 36cm
布面油彩

[法国] 安德列·德瓦姆别兹
André Devambes

酒店搏斗

19世纪
65cm × 80cm
布面油彩

[比利时] 阿罗·巴斯蒂恩
Allro Bistian

女画家肖像

1934 年
100cm × 80cm
布面油彩

[法国] 艾克特·阿诺多
Hector Hanoteau

妇女纺线

19世纪
27cm × 17.5cm
布面油彩

[苏联] 菲利片科
Филипенко

背身女人体

1958年
79cm × 61cm
布面油彩

[苏联] 塔里贝尔克
Тальберг

女立裸体

20世纪
121cm × 81cm
布面油彩

[苏联] 恩索尔
Ensor

人体

20世纪 50 至 60 年代
85cm×110cm
布面油彩

[俄罗斯] 巴东诺夫
人体

20世纪
80cm×120cm
布面油彩

[俄罗斯] 巴东诺夫
人体

20世纪
80cm×120cm
布面油彩

[苏联] 菲利片科
Филипенко

看书女子

1959年
79cm × 100cm
布面油彩

[苏联] 佚名

穿黑背心女肖像

20世纪
113cm × 79cm
布面油彩

[俄罗斯] 干任斯基

男侧面像

年代不详
49cm × 37cm
布面油彩

[俄罗斯] 山基里科

裹红巾女郎

年代不详
61cm × 40cm
布面油彩

佚名（署 K・Chun）
男童

1975年
97cm × 62.7cm
布面油彩

[意大利] 奥尔多·鲍格索尼
Aldo Borgonzoni

两个妇女骑驴

1956年
65cm×48.5cm
布面油彩

[俄罗斯] 安德烈·安德烈耶维奇·梅尔尼科夫
A. A. Milnikov

女人体

约 1980 年
53cm × 63cm
布面油彩

[俄罗斯] 亚历山大·波戈相
Погосян
窗前老人

1996 年
80cm × 60cm
布面油彩

[保加利亚] 季米特洛夫・麦伊斯托拉
B. Цимитрор Маистора

女半身像

20世纪 80 年代
64cm × 73cm
布面油彩

[俄罗斯] 尤里·维塔利耶维奇·卡柳塔
Калюта Ю.В.

玛丽亚

约 1997 年
120cm × 90cm
布面油彩

[法国] 德桑普·萨保莱特
L. Desamps-Sabouret

丁香花

19世纪
65cm×92cm
布面油彩

[法国] 寇士瓦
E.H.Cauchois

静物

1895年
100cm×63cm
布面油彩

[法国] 保罗・比瓦
Paul Biva

静物

19世纪
112cm × 144cm
布面油彩

[法国] 德桑普·萨保莱特
L. Desamps-Sabouret

静物

19世纪
90cm×61cm
布面油彩

[法国] 忒欧杜勒·里波特
Théodule Ribot

静物

19 世纪
65cm × 96cm
布面油彩

佚名
静物

约 19 世纪
31cm × 25cm
布面油彩

佚名

狩猎

约 19 世纪
15.5cm × 27cm
布面油彩

佚名
双牛

约 19 世纪
60cm × 54cm
布面油彩

岱斯奈尔

街景

19世纪
20.5cm × 26cm
布面油彩

[法国] 查理·拉波斯托雷
Charles Lapostolet

街头风景

约 19世纪
35cm × 27cm
布面油彩

[法国] 查理·拉波斯托雷
Charles Lapostolet

风景

约 19 世纪
36cm × 26.5cm
布面油彩

[法国] 马西亚
C. Massias

洗衣女郎

约 19 世纪
36.7cm × 53.5cm
布面油彩

[法国] 普罗斯帕·格莱纳
Prosper Galerne

风景

1855年
26cm × 40cm
布面油彩

[法国] 艾恩·凡·马兹克
Émile van Marcke

牧牛图

19世纪
54cm × 80cm
布面油彩

[法国] 雅克 · 玛丽
Jacques Marie

风景

19 世纪
116cm×165cm
布面油彩

太勒
C. Secrus

帆船

约 19 世纪
27cm × 46cm
布面油彩

[奥地利] 乔治·费希霍夫
Georg Fischhof
渔船之一

19世纪
70cm×57cm
布面油彩

[奥地利] 乔治·费希霍夫
Georg Fischhof
渔船之二

19世纪
70cm×57cm
布面油彩

[丹麦] 卡尔·比勒
Carl Bille

海上风暴

约 19 世纪
68cm×96.5cm
布面油彩

菲利帕
Flippa
山前工厂

1949年
60.5cm × 80cm
布面油彩

[德国] 佚名
建筑工地

1951年
45cm × 66cm
纸本油彩

佚名
风景

1953年
32.5cm × 46.8cm
纸本油彩

佚名
风景稿

20世纪
14cm×21cm
纸本油彩

亚布洛什克

河岸风光

20世纪
18cm × 24.5cm
木板油彩

[苏联] 里克曼

Г. Ликман

冬季

1954 年
34.5cm × 39cm
布面油彩

[苏联] 特卡乔夫兄弟
А.П. и С.П. Ткачевы

风景

20世纪
46cm × 65cm
布面油彩

萧尔里克
Shaurlik

风景

1949年
65.5m×78cm
布面油彩

佚名（署 C.B）

风景

1956年
48cm×46cm
布面油彩

[苏联] 康斯坦丁·梅福季耶维奇·马克西莫夫

Константин Мефодьевич Макси́мов

风景

1958年
69cm×49cm
布面油彩

[俄罗斯] 安德烈·安德烈耶维奇·梅尔尼科夫
A. A. Milnikov

夏天

20 世纪
47.5cm × 80 cm
布面油彩

[俄罗斯] 普拉东尼梅夫
Платоньмев А.В.

早晨

1993年
50cm × 70cm
布面油彩

[俄罗斯] 弗拉基米尔 · 西蒙诺维奇 · 佩西科夫
Владимир Песиков

杭州古桥

1991年
49cm × 59cm
布面油彩

[俄罗斯] 亚博隆什卡
Яблошка М. Н.

金色威尼斯

1994年
55cm × 70cm
布面油彩

[俄罗斯] 克拉夫佐夫
Кравцов И.М.
静物

1996年
110cm × 100cm
布面油彩

[德国] 凯绥·珂勒惠支
Käthe Kollwitz

自画像

1924年
24cm×33cm
木版单色

[苏联] 奥夫相尼科夫　　　　　[捷克斯洛伐克] 佚名
А. Овсянников

列宁　　　　　　　　　　　　　头像

1935年　　　　　　　　　　　　1950年
22.7cm×16.8cm　　　　　　　　31.5cm×24cm
铜版单色　　　　　　　　　　　石版单色
2005年伍必端捐赠　　　　　　　1950年捷克布拉格美术学院捐赠

[捷克斯洛伐克] 科尔帕克
Korpak

集会

1950年
30cm × 20cm
石版套色
1950年捷克布拉格美术学院捐赠

[捷克斯洛伐克] 雅伊切维奇
Jajkiewicz

炉前工

1950年
26cm × 16.5cm
铜版单色
1950年捷克布拉格美术学院捐赠

[捷克斯洛伐克] 帕比西亚可
Z. Pabisiak
讨论

1950年
20.5cm × 30cm
石版单色
1950年捷克布拉格美术学院捐赠

[捷克斯洛伐克] 雅伊切维奇
Jajkiewicz
集中营

1950年
18cm × 20.5cm
铜版单色
1950年捷克布拉格美术学院捐赠

———
[苏联] 克拉夫钦科
А.И.Кравченко
诗插图

20 世纪
10.5cm×8.5cm
木版单色

———
[苏联] 克拉夫钦科
А.И.Кравченко
普希金《黑桃皇后》插图

20 世纪
13cm×8cm
木版单色

[苏联] 鲁达珂夫

《安娜·卡列尼娜》插图

20 世纪
29cm × 23cm
石版单色
2005 年伍必端捐赠

[苏联] 鲁达珂夫

梅里小说插图

20 世纪
24.5cm × 18cm
石版单色
2005 年伍必端捐赠

[苏联] 维哈列夫
С.Вихарев

游春

1956年
32.7cm×44cm
石版套色
2005年伍必端捐赠

[乌克兰] 丹琴科
Данченко А. Т.
1648-1654 年乌克兰人民民族解放战事之六

1956年
34.5cm×54cm
铜版套色
1957年乌克兰基辅美术学院捐赠，经王曼硕转陈列馆

[乌克兰] 丹琴科
Данченко А. Т.
1648-1654 年乌克兰人民民族解放战事之七，1651 年别列斯战役

1954年
35cm×53.5cm
铜版单色
1957年乌克兰基辅美术学院捐赠，经王曼硕转陈列馆

[苏联] 克拉夫钦科
А.И.Кравченко

静静的顿河

20世纪
7cm×9cm
木版单色

[苏联] 克拉夫钦科
А.И.Кравченко

克里姆林宫

20世纪
14cm×19cm
木版单色

SEUDONIMO: TERESITA   TITULO: EN UN PUEBLO DE ESPAÑA

[西班牙] 马利亚·马丁

María Martín

在西班牙一个镇里

1955年
39.5cm × 34cm
木版单色

[比利时] 勒内·德·科宁克
René De Coninck

舞台

20世纪50至60年代
15cm × 12cm
铜版单色
1960年比利时凯斯坦捐赠

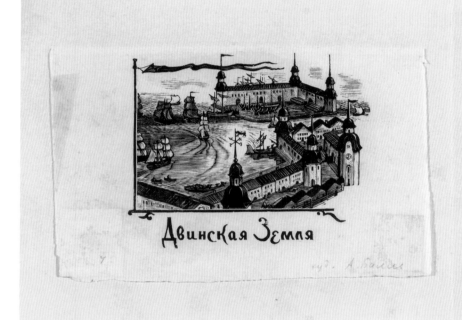

[苏联] 比利

А. Билль

插图

1957年

7cm × 10.5cm × 3件

木版单色

[苏联] 兹沃尼洛夫
Звониров

黑色树林

1958年
9.2cm × 19.5cm
铜版单色
2005年伍必端捐赠

[苏联] 阿夫切尼珂夫

"盖伊阿瓦特之歌"之四

1958年
18cm×27cm
木版单色
2005年伍必端捐赠

[苏联] 阿夫切尼珂夫

"盖伊阿瓦特之歌"之三

1958 年
18cm × 27cm
木版单色
2005 年伍必端捐赠

街景 29 X 39.5

[苏联] 佚名

街景

1959 年
29cm × 39.5cm
铜版单色
2005 年伍必端捐赠

1957

J. V. Ruysmaels.

—

[比利时] 佚名

伐倒的树

1957 年
20cm × 29.5cm
铜版单色
1960 年比利时凯斯坦捐赠

—

[乌克兰] 卡卢加
Калуга, В.

阴雨连绵

1957年
35cm × 57cm
石版套色
1957年乌克兰基辅美术学院捐赠，经王曼硕转陈列馆

[苏联] 库克雷·尼克赛
Кукрыниксы
契诃夫小说插图一

1953年
16cm × 29cm
纸本水墨
——

[苏联] 库克雷·尼克赛
Кукрыниксы
契诃夫小说插图二

1953年
16cm × 29cm
纸本水墨
——

[日本] 吴邦
双猴

年代不详
123cm × 42cm
纸本设色

[日本] 龙志
双鱼

年代不详
119cm × 42.5cm
纸本设色

［日本］翠溪

虎

19世纪末 20世纪初
113cm×50.5cm
纸本设色

[日本] 吴邦
双虎

年代不详
126cm × 42cm
绢本设色

[日本] 晴云

花卉

19世纪末 20世纪初
130cm × 52cm
绢本设色

[日本] 渡边晨亩
Watanabe Shinkyu

观音

20世纪 30年代
115cm×36cm
纸本设色

[日本] 功育

仕女

年代不详
127cm×43cm
纸本设色

［日本］深昊

打伞仕女

年代不详
127cm×43cm
纸本设色

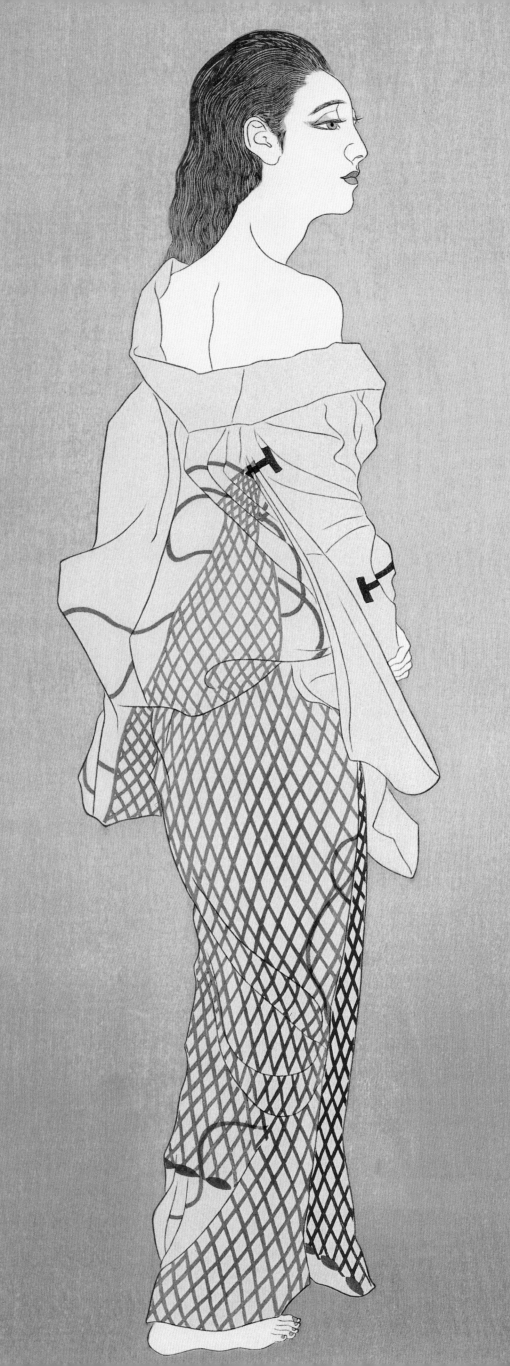

[日本] 加山又造
Kayama Matazō
立女

1992年
49cm × 34.5cm
木版套色

[日本] 北冈文雄
Kitaoka Fumio

溪流

1985年
197cm×50cm
木版单色（版次 3/20）

[日本] 加山又造
Kayama Matazō

白马

1985年
49cm × 46.5cm
木版套色

[日本] 矢崎千代二
C.Yazaki

N 氏像

1930年
33.3cm × 24.2cm
纸本色粉

[日本] 矢崎千代二　　[日本] 矢崎千代二
C. Yazaki　　　　　 C. Yazaki

北平北海　　　　 **北平午门**

20世纪　　　　　　　20世纪
23.4cm×31cm　　　　23.7cm×31cm
纸本色粉　　　　　　纸本色粉

[智利] 何塞·万徒勒里
José Venturelli

采集者

1982 年
98cm × 68cm
布面丙烯
2016 年智利何塞·万徒勒里基金会捐赠

[印度] 辛哈

印度歌女

20世纪 50 年代
60.3cm × 45.5cm
纸本水粉

[日本] 佐藤忠良
Churyo Sato

衬衣（某日之女人Ⅱ）

1987年
45cm × 33cm
石版单色（版次 81/95）

[苏联] 佚名
男裸体

20世纪 50年代
41cm × 51cm
纸本炭笔

[澳大利亚] 唐娜·蒂比茨
Donna M. Tibbits

夜晚的故事

1994年
15cm×35cm
铜版单色（版次 29/30）
2007年澳大利亚昆士兰艺术学院捐赠

[澳大利亚] 杰西卡·费罗兹－阿巴迪
Jessica Firouz-Abadi

重聚

1994年
15cm × 11cm
石版单色（版次 29/30）
2007年澳大利亚昆士兰艺术学院捐赠

29/30　　　　　　　"REUNION"　　　　　　　JFA '94

[澳大利亚] 本·柯蒂斯
Ben Curtis

本源说

1994 年
28.5cm × 20.2cm
石版单色（版次 29/30）
2007 年澳大利亚昆士兰艺术学院捐赠

29/30.   Melancholia II   Alan Owen 94/95.

[澳大利亚] 艾伦·欧文
Alan Owen

抑郁症 II

1994年-1995年
31.5cm×21.7cm
丝网单色（版次 29/30）
2007年澳大利亚昆士兰艺术学院捐赠

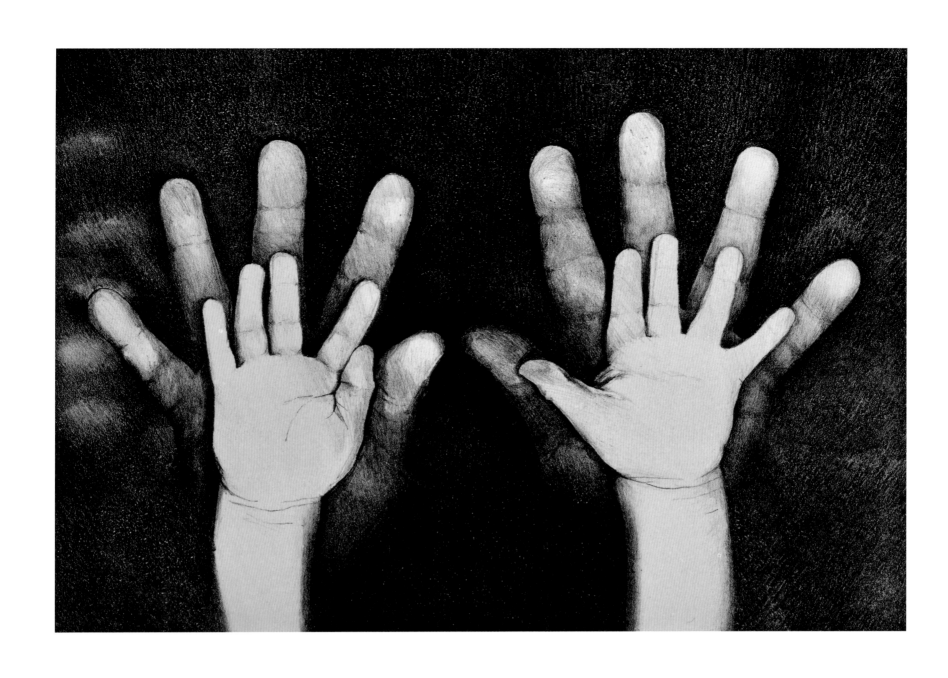

[澳大利亚] 拉赛尔·克雷格
Russell Craig

无题

1994 年
27cm × 38cm
石版套色（版次 29/30）
2007 年澳大利亚昆士兰艺术学院捐赠

[澳大利亚] 肖恩·伊根
Shaun Egan

无题

1994年
27cm×38cm
石版单色（版次 29/30）
2007年澳大利亚昆士兰艺术学院捐赠

[秘鲁] 马里亚诺·福恩特斯·里拉
Mariano Fuentes Lira

《图帕克·阿马罗 II》插图一

20 世纪 50 年代
27cm × 20.5cm
木版单色

[秘鲁] 马里亚诺·福恩特斯·里拉
Mariano Fuentes Lira

《图帕克·阿马罗Ⅱ》插图二

20世纪 50 年代
16cm × 12cm
木版单色

[秘鲁] 马里亚诺·福恩特斯·里拉
Mariano Fuentes Lira

人和树

20世纪 50年代
27.5cm × 19cm
纸本水彩

[秘鲁] 马里亚诺·福恩特斯·里拉
Mariano Fuentes Lira

风景

20世纪 50年代
14.5cm × 20.5cm
纸本水彩

[澳大利亚] 凯瑟列恩·希尔
Kathleen Hill

最后的防线

1995年
22cm × 15cm
丝网套色（版次 29/30）
2007年澳大利亚昆士兰艺术学院捐赠

［意大利］奥玛尔·嘉里亚尼
Omar Galliani

东方速写

2009 年
90cm × 64cm
纸本铅笔

[德国] 马库斯·吕佩尔茨
Markus Lüpertz

炭笔肖像

2015年
42cm × 29.5cm
纸本炭笔

[美国] 阿瑟·C. 丹托
Arthur C. Danto

背婴儿的妇女

20 世纪 60 年代至 20 世纪 70 年代
45cm × 30cm
石版单色（版次 6/50）

[日本] 森秀雄
Hideo Mori

湖畔

2010年
193.5cm×162cm
布面丙烯

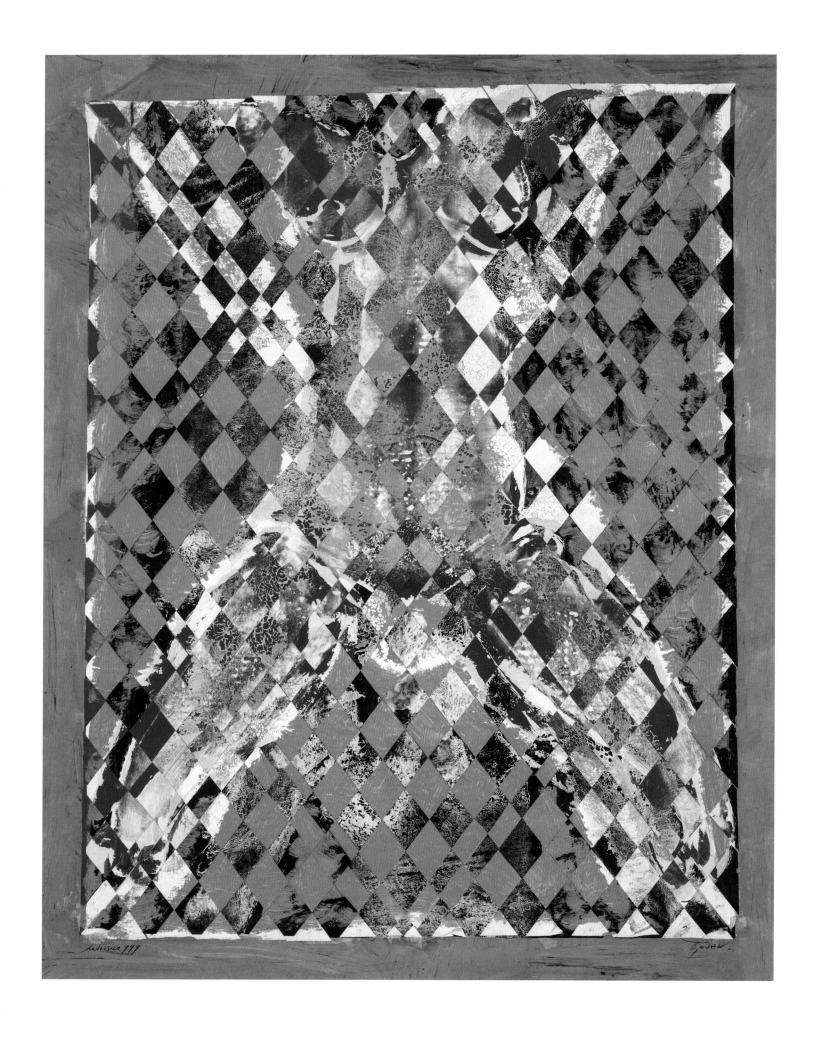

[意大利] 弗朗索瓦·雷昂
Francois Rouan

威尼斯的形象

1999年
97.5cm×71cm
纸本油彩、拼贴

[瑞士] 卢西亚诺·卡斯特利
Luciano Castelli

自画像

2015 年
50.5cm × 34.5cm
纸本油彩

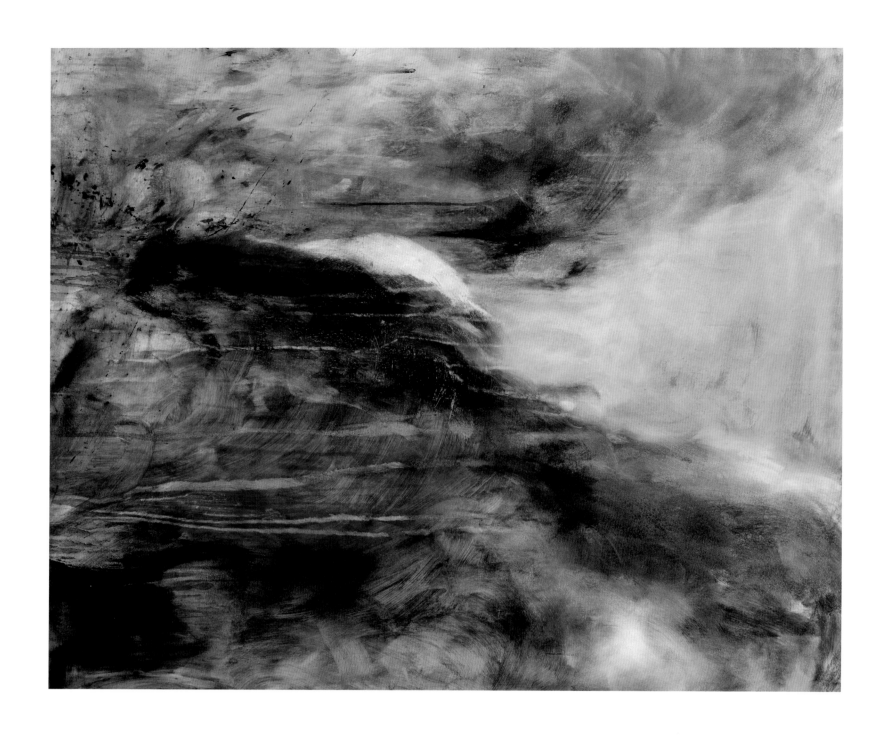

[美国] 瑞克・罗特莱克
Rick Rodrigus

山之光

1997年
110cm×130cm
布面油彩

———
[美国] 杰瑞米·摩根
Jeremy Morgan

作品一号

1997 年
120cm × 150cm
布面油彩
———

杜尔赛·巴拉西奥斯
Dulce Palacios
旗帜

1994年
180cm × 80cm
布面丙烯

杜尔赛·巴拉西奥斯
Dulce Palacios

萌芽

1994年
180cm × 80cm
布面丙烯

[英国] 约翰·贝兰尼
John Bellany

永恒之旅

2005 年
172cm × 334cm
布面油彩

[意大利] 安娜·丽塔·亚勒坦
Anna Rita Alatan

瞬间

2006 年
120cm × 80cm
金箔丙烯

162

[美国]J. 博伊德・桑德斯
J. Boyd Saunders

狐狸

1981年
40cm×51cm
丝网套色（版次 A/P）

[澳大利亚] 西蒙·格里南
Simon Grennan

乌嘎利特人

1994年
19.3cm × 19.4cm
丝网套色（版次 29/30）
2007年澳大利亚昆士兰艺术学院捐赠

[意大利] 阿莱桑德罗·比翁多
Alessandro Biondo

龙——抽象的盾牌

2007年
72cm×72cm
布面油彩

[俄罗斯] 拉宾斯基
T. Lapinski

静物

1985 年
56cm × 73cm
丝网套色（版次 2/8）

[澳大利亚] 大卫·维尔
David Viel

推倒这几座墙

1994年
38cm × 27cm
丝网套色

[挪威] 马格纳·菲吕霍尔门
Magne Furuholmen
一切都发生在我们身上
IN A LITTLE PROVINCIAL TOWN

1995年
76.3cm×56.5cm
丝网套色（版次 47/120）

[挪威] 马格纳·菲吕霍尔门
Magne Furuholmen
一切都发生在我们身上
IN A LITTLE PROVINCIAL TOWN

1995年
76.3cm×56.5cm
丝网套色（版次 47/120）

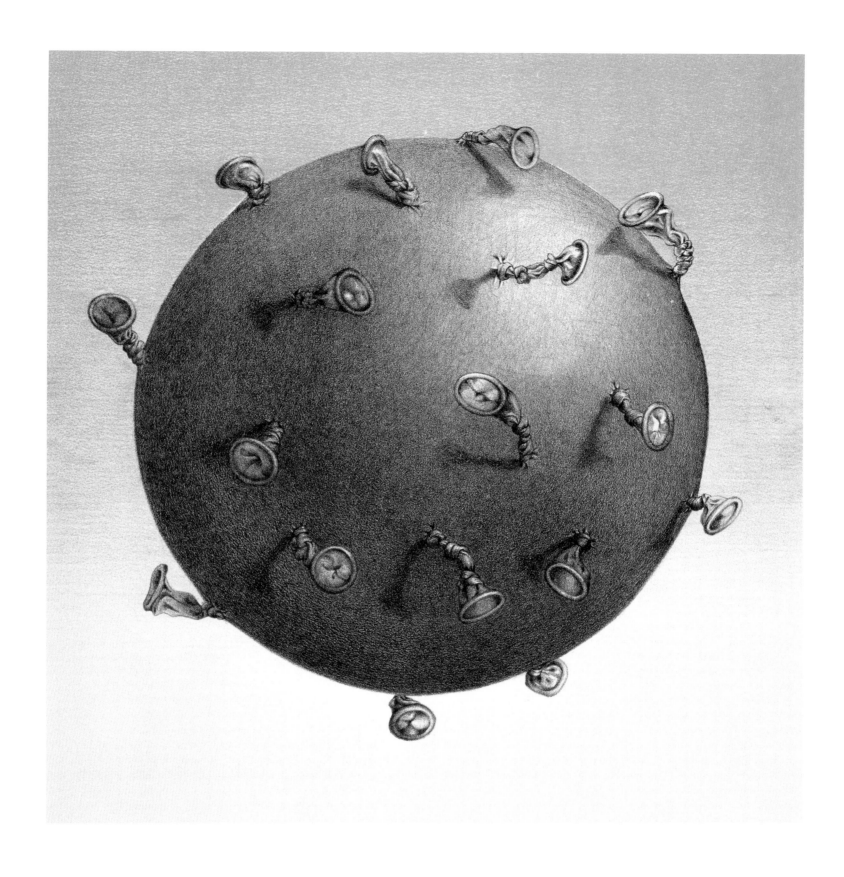

[澳大利亚] 凯瑟琳·崔
Catherine Chui

开放

2000 年
27cm × 27cm
石版套色（版次 26/30）
2007 年澳大利亚昆士兰艺术学院捐赠

[韩国] 河东哲
Ha Dong Chul

光 98-32

1998 年
125cm × 250cm
布面丙烯

COSMOS

[韩国] 河东哲
Ha Dong Chul
宇宙

1991 年
125cm × 80cm
丝网印刷

佚名

无题

年代不详
98cm×32cm
丝网套色（版次 38/59）

[法国] 奥利维尔·德勃雷
Olivier Debré

无题

1998 年
100cm × 140cm
布面油彩

[法国] 奥利维尔·德勃雷
Olivier Debré

无题

20 世纪
53cm × 67cm
丝网套色

[黎巴嫩] 尼扎尔·达希尔　　[美国] 托马斯·吴
Nizar Daher　　　　　　　Tomas Vu

风景　　　　　　　　　　**东方阿波罗 7 号**

2012 年　　　　　　　　　　2015 年
54cm×73cm　　　　　　　192cm×110cm
布面丙烯　　　　　　　　　UV 打印、铝板、树脂玻璃、墨、拼贴、丝网印刷

[韩国] 金孝淑
Kim Hyo Sook

空巢 — 4

2013 年
30cm × 25cm × 120cm
纸浆

178

[斯里兰卡] 达尔善
Darshana Prasad

思考的我

2012年
50cm × 60cm × 105cm
松木、色粉

[以色列] 奥弗·勒路石
Ofer Lellouche
头像

2011 年
23cm × 31cm × 30cm
赤土

[德国] 福尔克·阿布斯
Volker Albus

球

2005年
直径 25cm
综合材料

[德国] 路易吉・克拉尼
Luigi Colani

跪坐

2005年
56cm × 42cm × 47cm
木、漆

[法国] 里奥来·萨巴特
Lionel Sabatté

北京的小羊之三

2015年
24cm × 62cm × 92cm
普洱茶、金属构架

[法国] 瓦莱丽·古塔尔
Valérie Goutard

肖像画

2012年
35cm×76cm×45cm
铸铜

[法国] 瓦莱丽·古塔尔
Valérie Goutard

永恒的支柱

2012年
155cm×48cm×57cm
铸铜

[荷兰] 比克·凡·德·柏
Bik Van der Pol

积累、收藏、展现

2011 年
350cm × 1300cm
综合材料

188

[日本] 黑川雅之
Masayaki Kurokawa

小象 (ZO)

2010 年
45cm × 49cm × 81cm
综合材料

[丹麦] 比扬·诺格
Bjørn Nørgaard

事实关系、堆积、倾泻（重塑）

1967年 -2014年
尺寸不一
石膏、金属丝

［丹麦］比扬·诺格
Bjørn Nørgaard
事实关系、堆积、倾泻（重塑）

1967年 -2014年
尺寸不一
石膏、金属丝

[丹麦] 比扬・诺格
Bjørn Nørgaard

公交车站

2014 年
180cm × 260cm × 300cm
青铜、花岗岩、玻璃

[德国] 约瑟夫·博伊斯
Joseph Beuys

《从霍德勒到反形式主义》书籍宣传卡

1970年
10.9cm × 18cm
纸本印刷、水性墨水

[德国] 约瑟夫·博伊斯
Joseph Beuys

"7000 棵橡树"玄武石之一

1982年
40cm × 40cm × 140cm
玄武石
2017 年德国卡塞尔市 7000 棵橡树基金会捐赠

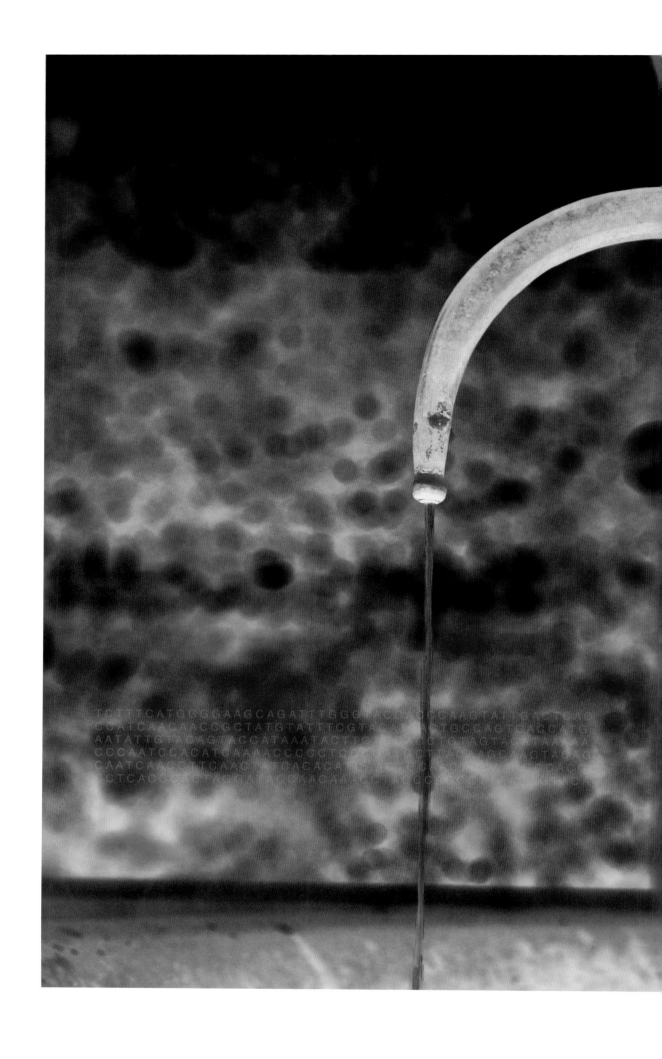

[美国] 凯文·克拉克
Kevin Clarke

白南准肖像

1999年
100cm×160cm
档案彩色打印

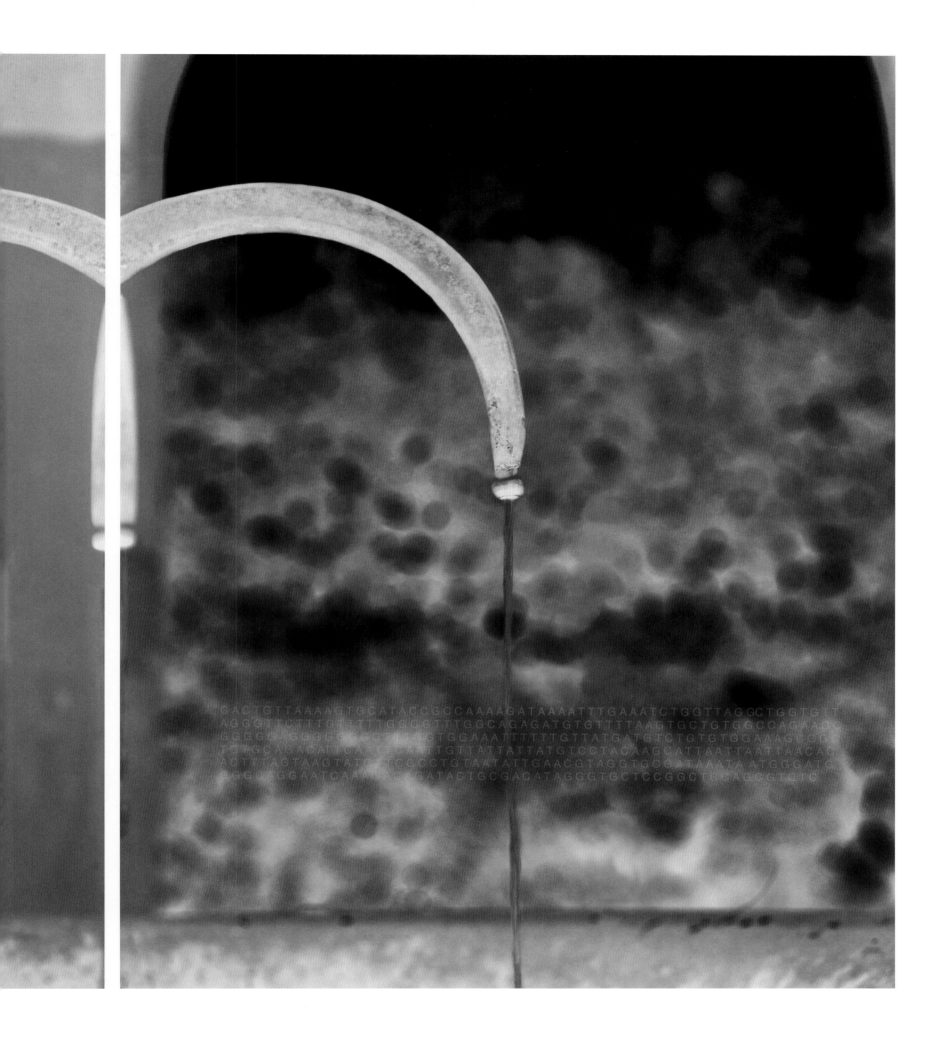

[德国] A·R·彭克
A. R. Penck

出发条件

20世纪 80年代
159cm × 119cm
布面丙烯

201

[爱尔兰] 肖恩·斯库利
Sean Scully

流泪的歌

2015年
215.9cm × 190.5cm
铝板油彩

[美国] 小野洋子
Yoko Ono

行动绘画（世界人民团结，福福福福）

2015 年
200cm × 100cm × 7 件，1 分 04 秒
布面水墨、视频

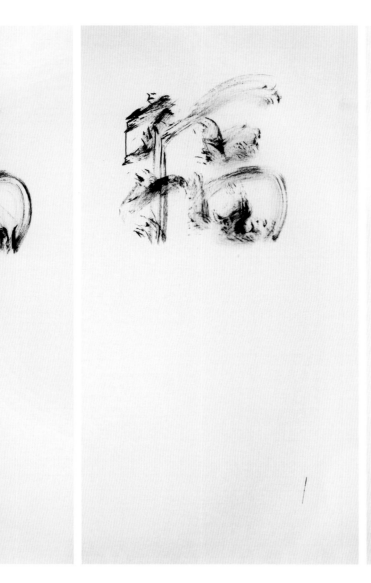

创作现场

205

论抽象派艺术

邵大箴

关于抽象派或抽象艺术，西方已经讨论了好几十年，至今还在热烈地讨论着，不过，讨论的题目或内容有了变化，从最初争论抽象派有无存在的价值到今天更深入地探讨抽象艺术的得失。从总的趋势看，完全否定抽象艺术，或把抽象派奉为至尊，用它来否定写实主义或现实主义，这类意见越来越少了。抽象派已经成为西方多元艺术格局中的一个方面（仅仅是一个方面）存在着。它原有的意识形态的锋芒已大大削弱，而更多地作为一种艺术风格和流派适应着社会的需要。我国美术界和广大观众接触抽象派的观念和实践较晚，至今在美术家和群众中间还是个很敏感的问题。什么是抽象派或抽象艺术？它是怎样产生的？怎样评价它的社会价值和艺术价值？中国和世界的美术是不是都要向抽象的方向发展？这些都是人们普遍关心的问题。既然如此，我们就不应该回避，就得花气力去研究抽象派的历史和现状，研究它的理论和实践，就得用马克思主义的观点去分析和研究这种艺术现象。本文试图在这方面做些工作，作为引玉之砖，以期有真正学术水平的研究成果问世。

什么是抽象艺术 (Abstract Art)？西方较为权威的费登版 (Phaidon)《二十世纪美术辞典》解释说："举凡艺术都是一种抽象，许多抽象的艺术必然在观众的眼中和心灵中造成具体物象的联想。20世纪'抽象艺术'这一概念，乃是指不造成具体物象联想的艺术，它不探求表达其他视觉经验。"[1]很显然，应该区别艺术作为对生活的一种抽象、艺术中的抽象和20世纪抽象艺术这几个不同的概念。西方一些学者常常认为，艺术本身就是一种抽象。如苏珊·朗格说："一切真正的艺术都是抽象的。"[2]按照她的见解，从生活、从客观物象变成艺术本身就是一种抽象的过程。此外，西方传统的美学认为，有些艺术门类如建筑、音乐等，并不反映具体物象的影像，按其特性，应该是抽象的。艺术对生活来说是不是抽象，为什么说建筑、音乐是抽象的等等问题，是值得讨论和研究的，但本文不拟涉及。为了使讨论的问题集中，也为了不使讨论在概念中兜圈圈，我们把抽象艺术的讨论限定在抽象派的范围之内，限定在进入20世纪以来的，在西方各国流行的，在否定具体物象描绘的抽象主义思潮和流派上。

抽象派不同于20世纪的其他一些现代流派诸如立体主义、未来主义或超现实主义，当它开始出现时，并不是一个有宣言和纲领的统一社团。抽象派与其说是一个有组织的派别，毋宁说是一种广泛的艺术思潮。诚然，在这思潮的影响下，不同的历史时期出现过许许多多的社团和派别。

由于抽象主义和抽象派的概念不够确定或容易造成误解，许多评论家希望用别的名称取代它。例如荷兰的抽象派画家杜斯伯格在1930年提出用"具体"(Concrete) 一词来界说以蒙德里安为代表的"风格派"的作品。他认为，既然"抽象"这个词意味着"从自然现象抽取所要表现的因素"，那么它就不能用来解释以几何抽象为表现特征的"风格派"。因为蒙德里安和风格派声称，他们的几何抽象并非从客观的自然界出发，不是从自然现象中"抽取"或"提炼"。还有人用"非具象"(Non-figurative) 来替代"抽象"这个词，以避免概念混乱和产生误解。尽管如此，抽象主义或抽象派这个词仍然为人们广泛地采用，只是它的含义被限定在两个明

瓦西里·康定斯基，《构图8号》，1923年

确的层面上：一是指从自然现象出发加以简约或抽取富有表现特征的因素，形成简单的、极其概括的形象，以致使人们无从辨认具体的物象；二是指一种几何的构成。这种构成并不以自然物象为基础。可以说，这是抽象主义艺术的两大类型。

抽象主义崛起于第一次世界大战前夕。也正是在这个时期涌现出抽象主义的绘画大师康定斯基和蒙德里安。其后，抽象主义思潮波及整个西方世界，但没有出现与康定斯基和蒙德里安相匹敌的大家。直到40年代末50年代初，美国画家波洛克才赋予抽象派绘画以行动的、潜意识的因素，而把抽象派推向高潮。波洛克之后的各种抽象主义派别则只是在局部的探索上有新的进展，整体上没有突出的创造可言。

俄国的康定斯基在1910年至1913年创造的非具象画被认为是最早的抽象派作品。自然，康氏的抽象画不是突然出现的，而是19世纪下半叶以来许多艺术流派在形式、语言探索上的必然发展。19世纪70年代首先产生于法国的印象派以外光作为主要的表现语言，已经孕育着抽象的因素。莫奈后期的组画《睡莲》，置具体物象的轮廓于不顾，醉心于光和色的微妙变化的感觉，在某种程度上是一种"光的抽象"。后印象派画家梵高、高更和塞尚，在作品中赋予被描绘的物象以象征的意义。高更强调绘画要表现"内在的眼睛"，表达心灵世界；塞尚和梵高强调主观表现和强烈地抒发感情，注意用线、色彩直接表达感情，使艺术背离写实朝抽象的方向又迈出了一大步。与此同时，刚刚兴起的象征主义运动（法国的纳比派、比利时的二十人派等）从另一个方面在探寻非具象的表现因素。从严格的意义上说，抽象、表现、象征这三种趋势在19世纪末、20世纪初是汇集成一股巨大潮流的，并且波及西方各国。事实上，野兽派和马蒂斯的"装饰风"，把人物形象作为画面装饰图案的一部分，讲究构图、色彩、线的节奏和韵律，给后来抒情的抽象画以很多启发；毕加索和勃拉克倡导的立体主义，把客观物象分割成无数的立方块，迷恋于物象体面结构的静态美，其艺术追求虽然有别于抽象派，但画面的形态已经临近几何抽象的边缘。

康定斯基的理论奠定了抽象主义的基础，抽象主义艺术的两种类型均源自他的学说。德国评论家克罗曼说康定斯基和他的朋友们确立了"心灵不可战胜的信仰"，称他是"我们时代的乔托"[3]，形象地说明了他在现代艺术中的地位。康氏的观点集中反映在他的著作《论艺术中的精神》(1910)和《点、线、面》(1926)中。

《论艺术中的精神》的理论核心是，艺术背离客观世界，开辟了前所未有的新领域，这新领域建立在艺术家的"内在的需要"上，所谓"内在的需要"，是指艺术家所感到的表达精神的冲动。他说："内在的需要"由三个隐秘的因素形成：A.每个艺术家作为一个创造者，他自己所要表现的东西（个性的因素）；B.每个艺术家所要表达的时代精神（风格的因素）；C.每个艺术家作为艺术的仆人，对艺术事业所作的贡献（纯艺术的因素）。在他看来，在艺术领域里只有第三个因素是永存的，主要由它支配的艺术家，才是真正伟大的艺术家。康氏的"内在需要"说，跟他的其他一些论点一样，含有很精辟、独特的见解。他实际上是提出了艺术家的"主体性"或"主体精神"这样一个问题。艺术家不是简单地摹仿现实，而应该表现自己独特的内心感受，表现隐秘、深邃和微妙的心灵世界。唯有这种艺术才会"有一种深刻的有影响的预言力量"。他强调"艺术是时代的产儿，永远不可能被重复""让我们像希腊人那样生活，那样感受，是不可能的"，认为"从艺术家的角度来说，感情的共鸣是教育观众的途径""优秀的绘画不需拘泥于解剖学、植物学和其他科学的精确性"，指出现代艺术发展的倾向是各个门类的"互相学习，互相影响"[4]。康定斯基极端重视艺术形式，但他认为不存在独立的形式问题，艺术家依自己的内在需要从事创造，传达内在的感情，便是理想的形式。形式最忌重复。他说："多少寻找上帝的人，止于木刻的圣像上；多少寻找艺术的人，停留在另一个艺术家使用过的形式上，停留在乔托、拉斐尔、丢勒或梵高的作品上。"[5]

康定斯基的重要理论贡献在于他首先提出了抽象主义艺术（主要是抽象绘画）的问题。他是从音乐的表现语言得到启示提出这一问题的："一个画家如果不满意于再现（无论艺术性如何），而渴望表达内心生活的话，他不会不羡慕在今天的艺术里最无物质性的音乐在完成其目的时所具有的轻松感。他自然要将音乐的方法用于自己的艺术。结果便产生了绘画的韵律、数学的与抽象的结构、色彩的复调，赋予色彩以运动的现代愿望。"（《论艺术中的精神》）康定斯基认为，写实与抽象本来就存在于绘画之中，只是写实（物体表象）一直被视为重心，抽象只用来"美化"物象，例如色彩的调子（色彩的声音）、结构等，只作为物象的陪衬而为物象服务，没有显示本身独立存在的意义。20世纪以来，精神作用的增强，艺术家由于内在的需要，把抽象的表现提到日程上来。"形式越抽象，它的感染力就越清晰和越直接。""艺术家越是采用这些抽象形式，他就越是可以深入地和充满信心地进入抽象王国。紧接在他之后的是看画的人，他也会逐渐熟悉这一王国的语言。"康定斯基对色彩（不依赖也不表现客观物象的色彩）的分析是独到的。他正确地指出了色彩的物理作用和心理作用，指出物理作用是比较表面的，心理作用则是深刻的，指出色彩的价值，色彩和作者主观感情、感受的关系，"色彩是琴键，眼睛是音槌，心灵是带弦的琴，艺术家是弹琴的手，按着不同的琴键来引起心灵的震颤"[6]。他还提出了抽象的结构、抽象的造型所可能引起的强大的精神力量。总之，康定斯基最早阐述了抽象表现的理论，为不表现具体物象的抽象主义艺术的发展开辟了道路。

在作理论探讨的同时，康定斯基在努力作抽象主义绘画的试验。他于1910年前后完成第一幅抽象画。1914年以前，他的画充满了罗曼蒂克的热烈情绪，属于自然抽象的范畴。回俄国后，他的画风有所转变，多为几何抽象。后来，又继续探索几何抽象与自然抽象的结合。从他的作品中，我们可以看到他通过色彩、线条、结构、造型之间的相互关系来形成抽象构图的杰出本领，看到他探索韵律、节奏等音乐美的意图，感觉到他有表达某种理念的伟大抱负。但是，观众真正受到感染，心灵受到震动和影响的，仍然主要是画面的装饰意匠和形式美感，也就是说，是画面的奇幻感、动感和丰富的色彩感。

不应否认康定斯基作为抽象主义绘画鼻祖在理论和实践上的贡献，但也必须指出他在理论上的失误和他的观念的局限。他的失误主要在于他的"内在需要"说和抽象表现的理论，是建立在"精神革命"这一唯心主义观念的基础之上的。何谓"精神革命"？康氏说，由于宗教、科学和道德的根基被动摇、被震撼，客观世界无所凭依，人们"便把视线从外部转向内心。文学、音乐和绘画是最敏感的领域。在这里，人们感到了这一精神革命的存在"。精神革命的对象则是唯物论、科学实验、共和主义者、社会主义者（包括马克思的《资本论》）和艺术中的自然主义（即写实主义）。被他看作是朝着精神革命这个理想前进的人物是梅特林克、瓦格纳、德彪西、塞尚、马蒂斯和毕加索等人。康氏认为，"精神三角形在缓慢地向前和向上运动"[7]，站在这个三角形的顶端的是极少数天才人物，如贝多芬；三角形的基础则是不懂艺术三昧的群氓。显然，在这些关于精神革命的论述中，已经有相当多的谬误和片面性。例如，脱离开世界的物质运动抽象地谈精神的运动。我们并不认为人们精神领域内的问题可以简单地用唯物论来加以处理和解决，也并不认为精神领域内的现象不可以独立地加以研究，但是，这种研究和唯物论并不相悖。唯物论研究物质的第一性，研究物质对精神的作用，无疑有助于我们认识精神世界种种现象的物质基础。否则，精神世界的复杂现象是难以认识或者难以全面认识的。被康定斯基攻击的唯物论，社会主义的政治理论和经济理论，恰恰是 19 世纪人类的精神成果。又如，精神产品的创造者是一部分优秀的脑力劳动者和富有天才的人物，但是，他们的创造成果很多是从劳动大众那里获得灵感和智慧，并最终为劳动人民享用的，把天才人物放在和劳苦大众对立的位置也是不妥当的。不过，这些批评都还没有击中康氏理论的真正要害处。我们之所以说"精神革命"的理论是唯心主义的，关键是这一理论"大多隐含在通神论的观念之中"（《论艺术中的精神》的英译者理查德·斯特雷东语）。康定斯基是虔诚的天主教徒，他从小受到俄国东正教的熏陶，终身保持着对东正教的信仰。在 20 世纪初社会的大变革中，他看不清社会前进的方向（正因为如此，他对俄国十月革命表示失望，离开苏联到西欧从事艺术活动），便从通神论中寻求精神安慰。所以在他的著作中，以热情的口吻赞扬以布拉瓦斯基夫人为首的通神学会，宣扬"通神学会是永恒真理的同义语"。正是康氏理论的浓厚的宗教神秘色彩，使他夸大抽象造型的社会意义。他在自然界的圆形、斜方形、三角形、梯形之中，看到了人类精神世界的种种表现。

康定斯基关于音乐与绘画的关系的论述，注意到了这两门艺术的不同特点，正确地指出"一门艺术向另一门艺术的方法上的借用，只有在所借用的方法不是肤浅地而是本质地被运用时才能获得真正的成功"[8]。他参照音乐的表现语言，对绘画中的色彩在不同的组合、关系和变化中所产生的心理作用，作了许多精辟的分析，这些都是应该得到肯定的。他试图在自己的作品中，用不同粗细、不同方向的线条，用不同的色彩组合，像音乐那样来表达理念和思想的意图，尽管也是有价值的探索，但并不是成功的。康氏的这种努力，是当时整个探索性文艺思潮的一部分，这种思潮探索文字与色彩，色彩与声音，绘画与音乐的关系。因为这种探索贯穿于从康定斯基到当代抽象艺术家的创作中，分析一下它的得失对于我们认识抽象主义艺术的性质不无益处。

早在康定斯基之前，法国象征派诗人蓝波就认为，元音里有色彩，他写了首题名《元音》(Voyelles) 的诗，说代表黑色的 A 意味着"飞逐腐臭的"金蝇身上那件"黑色束胸"，代表白色的 E 则意味着"帐幕的白洁"等等。不难看出，这种解释带有极大的主观性和随意性，与字母的一般象征意义相去甚远。

诗人波特莱尔曾经说过："香、色，音使之一致。"当时欧洲有人曾尝试使乐器的音响与色彩产生相类似的联想，如竖琴代表白色，小提琴是青色，横笛是黄色，风琴象征黑色等。还有人用元音来表示感觉，如 A 是伟大，E 是痛苦，I 是锐利，O 是热情，U 是谜团……也不难看出，这种联想是相当勉强和难以使人信服的。

试图把色彩与音响结合起来的交错感觉，在心理学上被称作"色彩听觉"(Chromatic audition)，象征派诗人试图用文字取得音乐或绘画的效果；音乐家以音响来表示色彩；画家则试图用色彩来表示音乐。各个艺术门类，诸如诗歌、音乐、绘画、雕刻等，皆互相渗透、互相混合。法国作家冈蒂埃 (Gantier) 将这种现象称之为"艺术的转换"(Transposition of Art)。艺术的转换在一定的条件下是可以加强艺术效果和艺术感染力的，如我国古代论中讲"诗中有画，画中有诗"，就是说诗可以制造画的境界，画也可以创造诗的意境。英国拉斐尔前派的诗人兼画家罗赛蒂，也说过类似的话。法国诗人埃雷迪亚 (Jose-Maria de Heredia) 的诗歌很华美，犹如镶着各种宝石的画面；瓦格纳的歌剧集诗、音乐、绘画、建筑等各门艺术之特点，别出新意。英国评论家沃尔特·佩特在评论乔尔乔内的画时说："一切艺术，皆脱离其境界，而呈憧憬于音乐的状态。"在绘画中表现音乐情绪和境界的自觉尝试见于印象派画家莫奈晚期的《睡莲》和惠斯勒的风景，他们以色彩的细微差异和色调的微妙变化，造成使人愉悦的音乐感，被人们称作"可视的音乐"或"色彩的音乐家"。王尔德在评论惠斯勒时说："诗歌的享受，主要来自官能方面——即音感方面，绘画亦复如此。内容、题材、思想的如何，尽可不拘，只要色彩调和或配合即可。惠斯勒的画，在这方面有卓越的成就。"[9]

莫奈和惠斯勒的画含有明显的抽象性，但这种抽象性并没有发展到完全脱离客观物象的可视影像，而只是让这些可视的影像朦胧、不清晰，从而使其含蓄，增加人们的幻想。这种较为抽象、朦胧的描绘所产生的诗意，对于表现特定的情绪和意境来说，似乎不弱于轮廓和影像清晰的写实绘画，甚至比后者的艺术效果更为强烈。康定斯基则不想用色彩造成具体物象的联想，只想用它来表达抽象的观念和感情。他研究了色彩的象征意义，研究了色彩和形象在一定条件下给人们视觉和心理所产生的作用和影响。在这方面，他的探索是有意义的。但是他还试图在色彩、形象以及它们的配合中找出表达观念和心理情绪的规律来。事实上，这种规律是不可能找到的。他自己最终也意识到这一点。此外，任何色彩的象征意义也是相对的。这种象征意义既从属于各种千变万化的关系和组合之中，也从属于创造者和接受者主观的心境与情绪，不可能有绝对的法则。尽管康氏对色彩和形象作了种种解释，他的画面效果仍然是靠直觉来表现的。而这种凭借直觉的表现，在他看来，"与自然的分离越明显，内涵也就越纯粹"。殊不知，抽象的表现也是不能脱离自然的，因为任何感觉的源泉都来自自然。由于远离自然，康氏的抽象形式理论便必然蒙上一层通神学的宗教神秘色彩。

绘画中的音乐性主要靠点、线、面、形和色彩等造型因素的结合和安排所造成。这种表现可以包含在一定的规则之内，也可以超越于一定的规则之外。抽象艺术中的音乐美、节奏感、韵律感无非两种表现方式，一种用色彩、线组成自由自在的画面，含有中国写意画的特征；另一种为规则的几何形，含有数学的性质。这两种表现都接近装饰艺术的图案。康定斯基承认装饰艺术是有生命力的，只是他认为抽象艺术与装饰艺术的目的不一样，具有哲学意义。这是不奇怪的，当时许多艺术家都试图脱离现实的烦恼和从现实生活的矛盾中解脱，在艺术中创造一个新的理想境界，抽象艺术便适应这种需要应运而生。不过，有哲学意义的追求是一回事，作品中有多少真正的哲学内容又是另一回事。

抽象主义绘画的另一个奠基人是俄国的卡西米尔·马列维奇。他是几何抽象画风的开拓者。他把自己创导的这种风格称之为"至上主义"(Suprematism)。这个名称是从法语 Supreme(意为"最高的""至高无上的") 一词演变而来。马列维奇解释说："所谓至上主义，就是在绘画中的纯粹感情或感觉至高无上的意思。"从这里可以看出，至上主义是强调感觉和纯粹感情，摒弃描绘具体的物象和反映视觉经验的。

马列维奇是从立体主义和未来主义走向抽象主义的。1914年至1915年,他展出第一批"非逻辑的绘画"，画面上完全是非现实的表现。他的这种绘画试验和当时俄国诗人赫列布尼柯夫、克鲁钦基的诗歌主张相一致。1915年12月，他在"0.10"展览会上，展出最早的至上主义的代表作《黑方块》。十月革命后，马列维奇参加了左翼美术家联盟，并于1918年在报刊上撰文批评那些拒绝参加革命的美术家。他在苏维埃人民教育委员会、美术家协会和第三国际的有关机构中任职，还担任过美术教师。1918年，马列维奇为马雅可夫斯基的诗剧《宗教

克洛德·莫奈，《睡莲池》，布面油彩，92.7cm×73.7cm，1899年，大都会博物馆藏

卡西米尔·塞文洛维奇·马列维奇，《黑方块》，1915年

滑稽剧》设计布景和服装（此剧由梅耶荷德在彼得堡编导）。“至上主义与无物象美术展览”于1919年在莫斯科举行，同年，他撰写了论述抽象主义的论文《论艺术的新体系》。应夏加尔之邀，马列维奇曾在维切布斯克美术学校任教，并在该城组织艺术社团，还用至上主义的标记——黑方块，作为革命节日期间城市的装饰图案。20年代上半期，马列维奇在彼得堡从事抽象主义的理论研究。1927年随自己的作品展到欧洲访问，与著名的现代派美术家阿尔普、施维特尔斯、雷赫特尔等人会晤。他的著作《无物象的世界》(*The Non-objective World*) 由包豪斯 (Bauhaus) 出版。1930年，他被苏联有关部门当作与德国有勾结的嫌疑犯缉捕入狱，获释后放弃纯抽象的风格。

马列维奇的至上主义主张如下：

一、艺术要摆脱客观的“赘瘤”。他说：“从至上主义的观点看来，外表物象不提供什么兴趣，只有直接感受才是重要的，直接感受存在于情绪之中而不受情绪的支配。”至上主义的目标是把艺术从“一切社会学的或唯物主义的联系中解放出来”，去“寻找一种新的象征符号”；他认为，“从绘画的体面中创造出来的绘画性画面，与自然毫无关系。”

二、把一些方形、三角形、圆形看作是他们所寻找到的“新象征符号”。马列维奇把方形与原始民族的面具作比较，并为黑色、白色或彩色的四方块寻求理论的、哲学的根据。所谓黑方块——经济的象征；红方块——革命的信号；白方块——纯粹的行动。他声称，客观现实是无重量、无维度、无时间、无空间的，它不是什么，是无；它无从研究，无从把握，也无从证实，更无从呈现；人和现实都追求抽象的平静和无所作为，世界的完善也正在于此，而最高的完善在神身上得到体现。为此，他不断在宗教经典和宣传宗教的文章、著作中寻章摘句。

三、用实证主义、马赫主义的理论来解释艺术。马列维奇试图把马赫的“思维的经济”原则引进美学领域，按照这个原则，自然追求平静、经济实惠，追求极少的浪费力。他在艺术上确立第五维度——经济。在至上主义的宣言中，他宣布“建立第五维度的经济苏维埃，以消灭旧世界的一切艺术”[10]。

按照马列维奇的主张，艺术中最经济的是白底子上的黑方块，或者，黑底子上的白方块，即黑与白的结合。当然，还有更经济的形式——全白，白色背景上的白方块。在否定了绘画的主题、题材、物象、思想和感情，内容、空间、氛围感、立体感、透视、色彩，明暗之后，至上主义宣布：“简化是我们的表现，能量是我们的意识。这能量最终在绘画的白色沉默之中，在接近于零的内容之中表现出来。”

很明显，至上主义受到人们的批评和抵制不仅是因为它求形式的简化而走到了极端，还在于它含有浓厚的虚无主义的思想色彩。比起康定斯基的理论来，马列维奇的至上主义含有更深的哲学意味，和当时流行的唯心主义哲学思潮有更密切的、直接的联系。也和康定斯基的理论一样，至上主义最后通向宗教和神学。应该注意到至上主义流行的时代背景，十月革命前俄国知识分子接受各种修正马克思主义和否定唯物主义的唯心的哲学思潮的影响。革命大变动前夕知识分子对现实不满，对未来充满焦虑和失望，还有狂热的反抗，否定一切的空虚……这些复杂的心理状态和思想感情交织在一起，在艺术巾便出现回避现实，含有宗教感情和为艺术而艺术倾向，出现否定艺术本身的思潮。

我们看到，至上主义画家的作品，包含有形式的律动感，在平面构成上有独特的创造。这种平面构成的格局，在于采用一种有动态的中轴，对称的几何图形互相对置，有时运用色彩的层次来喻示空间或使形体显现出浮雕感。至上主义通过版画家和设计家利希斯基传播到欧洲（他于 1922 年迁居德国），同时通过莫何伊·诺吉对德国的包豪斯有不小的影响。至上主义在俄国的发展过程中，分化出构成派来。构成派并非是纯粹的抽象主义，但它可以说是抽象主义在工业设计上的运用，是试图把艺术与工业的·实用的目的相结合，并取得了值得注意的成果。鲁迅对俄国十月革命前后的先锋派艺术有非常精辟的分析："十月革命时，是左派（立体派及未来派）全盛的时代。因为在破坏旧制——革命这一点上，和社会革命者是相同的，但问及所向的目的，这两派却并无答案。尤其致命的是虽属新奇，而为民众所不解，所以当破坏之后，渐入建设，要求有益于劳农大众的平民易解的美术时，这两派就不得不被排斥了……但左翼中实已先就起了分崩……别生一派曰'产业派'，以产业主义和机械文明之名，否定纯粹美术，制作目的，专在工艺上的功利。更经历和别派的斗争，反对者的离去，终成了泰忒林 (Tatlin) 和罗直兼珂 (Rodchenko) 为中心的'构成派'(Konstructivismus)，他们的主张不在 Komposition，而在 Konstruction，不在描写而在组织，不在创造而在建设。罗直兼珂说：'美术家的任务，非色和形的抽象底认识，而在解决具体底事物的构成上的任何的课题。'这就是说，构成主义上并无永久不变的法则，依着其时的环境而将各个新课题，从新加以解决，便是它的本领。既是现代人，便当以现代的产业底事业为光荣，所以产业上的创造，便是近代天才者的表现。汽船、铁桥、工厂、飞机，各有其美，既严肃，亦堂皇。于是构成派画家遂往往不描物形，但作几何学习图案，比立体派更进一层了。"[11]

在西方抽象艺术的发展史上起过重要作用的两个社团是荷兰的风格派 (de Stijl) 和德国的包豪斯。

"风格"的名称来自这一派杜斯伯格在荷兰创办的杂志。"风格派"的主将是彼埃特·蒙德里安 (Piet Mondrian)，他更喜欢用"新造型主义"(Neo-plasticism) 这个词来表达这个社团的目标。风格派完全拒绝使用具象的元素。蒙德里安在解释新造型主义时说："为了理解艺术由自然向抽象的演变，我们就必须理解，在作为内心化 (interiorization) 过程的自然环境中的人类演变依然在继续着……人类今天向相反的方向发展——离开物质向精神方向发展……作为纯粹的精神表现，艺术将以一种净化的即抽象的美学形式来表现它自己。"[12] 他还说，艺术必须"非自然化"，即不需要呈现自然事物的细微末节，而是以抽象的元素建立而成，从而避免个别性和特殊性，获得人类共通的纯粹的精神表现。

在"抽象化与单纯化"的口号下，风格派提倡数学精神，凡是缺乏明晰与秩序的表现，都被他们看作是"巴洛克"的，统统予以反对。蒙德里安、杜斯伯格的绘画，是平面上的横线和竖线的结合，形成直角或长方形，并在其中安排原色红、蓝、黄。凡顿格洛把这种原则运用到雕塑中，以数学的解析为基础，使自己的雕刻品由一些简单的立体单元用垂直和平行的对称方式组合成一定的空间模式。

出生于荷兰阿麦斯福特的蒙特里安，早期学习 17 世纪荷兰小画派的传统绘画，后来得益于象征主义和印象主义熏陶。1908 年创作《红色的树》，保留了具体物象的轮廓，色彩和构图颇有表现力，是属于表现主义范畴的作品。在经过立体主义的探索之后，于 1913 年前后开始迷醉于纯粹的抽象，在《线与色的构成》中，他采用新的空间处理法，而从几幅《防波堤与海》的变体画开始，他的兴趣又转向几何形符号式的绘画，走到了几何抽象的边缘。自 20 年代初开始，在他的作品中线条和四方形的数目减少，灰色被排除出画面之外，原色减到一至二种，所占面积也比以前为小。20 年代中期的《黄与蓝的构成》(1925) 显示出独特的风格，这种风格一直延续到晚年。只是 1940 年到美国以后，他的画风才略有变化，受美国都市生活的影响，他画出爵士音乐的节奏，表现出繁华都市生活的不安宁和不平静的气氛和情绪（如 1942 年至 1943 年作的《百

皮特·蒙德里安，《构成系列二，红黄蓝》，布面油彩，1930 年

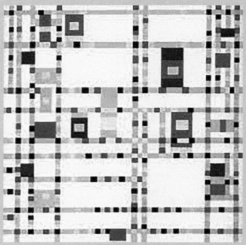

皮特·蒙德里安，《百老汇爵士乐》，布面油彩，127cm×127cm，1942 年 -1943 年

老汇爵士乐》)。

杜斯伯格除积极从事风格派的活动之外,还曾参与包豪斯和达达运动。1926年他发表《元素论宣言》(*The Manifesto of Elemantalism*)。"元素论"实际上是"新造型主义"的变体,不同之处仅仅是主张用斜角形,此点却为蒙德里安所不容,致使他们的合作中断。1931年,杜斯伯格成为巴黎"抽象——创造"的创始人,与埃利翁合办《具体艺术》杂志。他之所以提出"具体艺术""具体形式"这类概念,是因为他不满意"抽象艺术"这一概念。他说,再也没有比线、色、面更具体和更实在的了。他把线、色、面作为具体和实在的物来处理的观念,对于包豪斯和"抽象——创造"社团均有影响。

蒙德里安和风格派的美学追求,是由他们的政治态度、社会观念以及信奉的哲学所决定的。

那是在第一次世界大战期间。荷兰和欧洲其他国家一样,陷入日益尖锐的阶级矛盾和冲突之中。资产阶级在国际上的角逐达到白热化的程度,无产阶级革命运动蓬勃展开。如何对待战争,如何对待无产阶级革命运动,如何解决资本主义面临的种种矛盾,成为当时知识界普遍关心和思考的问题。蒙德里安和风格派的艺术家们看到了社会的矛盾和混乱,看到了社会的腐败,便想用新造型主义的艺术语言来建立一个新的、改造了的世界。他们真诚地以为,他们建立的"精神王国"可以取代自私的、仅仅求得物质满足和物质享受的资本世界。在风格派看来,社会剥削现象的产生并非由于资本主义的罪恶,而是整个社会的罪恶,是精神的罪恶。蒙德里安在《自然的现实性与抽象的现实性》(1919—1920)一文中论证说,资本主义社会以个人为特征,重视物质利益,新造型主义则重视集体主义观念和精神世界。新造型主义没有阶级性,不论资产阶级、贵族、还是工人阶级,都不可能在新造型主义中找到各自狭隘的经济利益和政治利益。新造型主义的风格由"新人"、知识分子、艺术家来创造,新的艺术家能够赋予具体的存在以新的时代精神。新生活的风格特征在于内在与外在的平衡,个人与大众的平衡,自然(现实)与精神的平衡,物质与观念的平衡。

蒙德里安从荷兰哲学家苏恩梅克尔(M. J. H. Schoenmaekers)的著作中采纳了不少观念和术语。热衷于喀尔文主义及黑格尔的哲学,是他和苏恩梅克尔相接近的思想基础。蒙德里安于1916年在拉伦与苏恩梅克尔见面,之后他们时常会晤,并热烈交换意见。此外,他早就对通神论发生兴趣,并于1909年在阿姆斯特丹加入了通神学会。苏恩梅克尔的哲学属于新柏拉图哲学体系。他本人把它称作"积极的神秘主义"或"造型数学"。他解释说:"造型数学从创造者的观点看,意味着真正的有条不紊的思想";而"积极的神秘主义则暗示如下的创作法则:我们现在研究着把我们想象中的现实转变成可以为理性所控制的结构,以便随后在'一定的'自然现实之中重新发现这些相同的结构,从而凭借造型视觉去洞察自然。"苏氏的主要著作《世界的新形象》(1915)和《造型数学的原理》(1916)均被风格派采纳为《风格丛书》系列。蒙德里安从他的哲学中找到了理论根据,并受到极大的鼓舞。苏氏希望借助画面来呈现世界的新形象,主张"形象的特异性会隐匿纯粹的实体",促使蒙德里安选择单纯的表现,以展开"实体的清晰的视象"。苏氏说:"我们要深入自然,以便明确看出现实的内在结构。"大自然"虽然在变化中显得活泼任性,基本上总是以绝对规律性来执行任务的,也就是说是以造型的规律性来起作用的"。蒙德里安则强调从"外在的价值"转向"内在的价值",从物质转向精神,强调用新造型主义作为手段,把丰富多彩的自然凝缩为存在于一定关系中的造型表现。结果艺术如同数学,成为精确地表达宇宙基本特征的直接手段。

苏恩梅克尔和蒙德里安的哲学、美学理论源于黑格尔的哲学和实证的神秘主义。黑格尔认为精神是本质,永远高于自然;自然是遗精神于外的,也遗美于外。"新造型主义"宣称艺术应该表现抽象的精神，应该与自然的外在形式相脱离，便是从黑格尔的哲学伸引出来的。实证的神秘主义把客观事物说成是一种幻觉，艺术家应该追求绝对，以便去揭示现实性的内在结构，他们认为自然服从于数学秩序，在自然中起作用的是绝对正确的规律，欧几里德的几何学便是这种法则的体现。实证的神秘主义从宇宙的基本色彩黄、蓝、红中看到了象征意义。黄是光线运动的象征，蓝是天穹的象征，红是黄和蓝晨曦时的细语交谈。黄色是放射的，蓝色是远离的，红色是浮动的。实证的神秘主义还主张，人应该从个性的特点中摆脱出来，奋起达到普遍的造型个性的境界，达到全人、神人的境界。

新造型主义的"造型"有两条基本原则：

一、空间的艺术只服从长方形的形式规律。

二、一切平面除了白色和黑色外，只用"纯粹的""最原始的""基本的"色彩黄、蓝、红，不需任何明暗光影和深度，不需焦距透视和线透视。

既然蒙德里安认为组成现实性结构的不是物体本身，而是它们之间的关系，那么他得出结论说"现代艺术家应该力求表达这种结构关系"就不足为怪了。所谓表达结构关系，便是用抽象的垂直线和水平线来组成简略的几何形体。例如月亮之夜的景色，只需用横线表示地平线，用垂直线表示月亮。横线和垂直线组成的直角便是"造型的现实性"；又如立在小屋（横线）旁的一棵树（垂直线），在路上（横线）行走的人（垂直线），艺术家房间中的墙（垂直线）和地板（横线），如此等等。蒙德里安的理论是：客观自然形式的多样性可以在直角中表现出来；采用这种方法，人们便可以回避"世界的悲剧"，同时可以静观包含于万物中的宁静。宁静、和谐、旋律只存在于抽象之中。蒙德里安有句名言："我们在静观中忘我，走向纯美。到那时，美聚集于我们本身，并将反映在万物身上。"[13]

蒙德里安和风格派试图用这种均衡的几何造型语言来替代阶级对抗的资本主义社会现实，不用说只是一种幻想。更不用说在风格派的纲领中明白地主张资本联合，主张建立联合的垄断资本，主张建立国际统一的文化和生活（这也是当时国际联盟的口号），就这一点论，也在客观上体现了金融资本家的利益。

里德在《现代绘画简史》中指出："'风格派'理论的力量和一致性给人以深刻的印象，但谈到它在绘画上的成就，除了蒙德里安的作品外，人们会有一种枯燥无味的感觉。从一开始就有一种在他们反对个性化的意图中所固有的特点，一种有意的单调一致。"我以为这是比较中肯的批评。那么蒙德里安的作品有多大的美学和艺术价值呢？西方有位评论家乔治·施密特写道："他（蒙德里安）的绘画远非仅仅是形式的试验，它们像任何纯艺术作品一样，是伟大的精神上的成就。一幅蒙德里安的绘画挂在完全按照这位艺术家的精神设计的住宅和房间中，那么这里比任何物质对象，都具有一种根本不同的特色和更加轩昂的气概。它是精神观念或态度的最崇高的表现；它是规矩与自由之间均衡的化身，它是平衡状态中元素对立的化身，而且这些对立的精神作用并不低于物质的作用。蒙德里安在他的艺术中所赋予的精神力量，将从他的每一幅画中永远放射出精神和肉体的光彩。"我们不可能完全同意施密特的意见，因为他过分地夸大了蒙氏作品的哲学意义和精神力量。除非我们有先入为主的观念，否则是很难体味到它们的如此崇高的哲学内容的。虽然如此，他的评论对于我们理解抽象主义绘画，了解西方人何以如此推崇包括蒙德里安在内的抽象绘画，是有帮助的。不可否认，蒙氏作品的造型别具特色，它们精确、简练、均衡和严格的几何风格所形成的理性精神，是跳动着20世纪时代的脉搏的。因此，这种风格对于20世纪的建筑、实用工艺和装饰艺术的影响之大，就不是偶然的了。

如果说荷兰的风格派偏重于理想，那么1919年至1933年在德国建立的机构"包豪斯"（建筑社之意）则偏重于实践。包豪斯的理论家们认为，艺术的进一步发展应该与原子物理的新发现并驾齐驱，在电子、质子的试验性进程中，包含着最新的艺术。摄影、电影的发展，已经取代了传统的写实绘画。传统的绘画之所以要被淘汰，是因为它不能明确地提供似乎在转变成能量的物质的表象。包豪斯的理论还认为，微观世界的结构和宏观世界（银河系）不是为人们的眼睛所能捕捉和认识的，它们只能靠"智能的渗透"。因此，包豪斯的艺术家们或者用线来表现组成物体结构的能量的规模、速度、跳跃、节奏和方向的变化，或者用色彩、图样来建立某种"绝对空间的延续性""宇宙裸露的整体性"。参加包豪斯的瑞士画家保罗·克利说，抽象派的画家感到与现实性没有联系，因为在客观可视的现象中他看不到自然创造过程的实质。这种实质不是包含在物质之中，而是包含在能量之中，也就是说不存在于现象的外表形式之中，而"存在于形成的力量之中"[14]。按照包豪斯的观念，这种绝对客观的，与科学真理相吻合的、摆脱了客观自然外在形式的认识，既克服了党派的片面性和意识形态的倾向性，也不沾染社会现实的任何痕迹。在艺术中不存在任何稳定的点、概念、范畴、环节、阶段等等，艺术家永远处在试验之中，把"自在之物"引向生活。吉迪翁说："在西方形成了一种接近于探测者和发现者的艺术家类型。"[15]

由于包豪斯的基本哲学和美学观念是和风格派相近似的，所以它的造型语言（特别是在建筑和工艺领域）同样讲究严格的功能主义、合理主义，形式同样讲究简练、经济、清晰明确，讲究逻辑性。这种造型一般是通过机器生产的规格化取得的。包豪斯艺术家们的许多设计，说明他们把抽象性的表现出色地运用于工艺造型和设计，在平面构成和立体构成上做了卓有成效的试验和探索。

还可以列举20世纪初以来的各种抽象主义的探索，如产生于法国以光和色彩抽象为目标的"俄耳甫斯主义"，与之相类似的英国的漩涡派；注重绘画偶然效果和机遇性韵"塔希主义"（或译"斑污主义"，首先在法国出现，影响欧洲各国）；把创造力的直接性当作主要目的来追求的荷兰的"眼睛蛇社团"等，他们有许多有意义的探索，但在观念和理论上并无独到的创造。只有40年代中期崛起于美国的抽象表现主义才是战后抽象主义艺术的高峰。

美国现代艺术的理论家们普遍认为，抽象表现主义的推出，标志着现代艺术的中心从巴黎转移到纽约。肯沃思·莫菲特在《1945年以来的美国抽象画》一文中说："这次转移的原因之一，就是战争造成了许多重要的法国和欧洲画家的流离失所，大家都来美国避难，并带给他们一种身处于现代运动中心的感觉。这有助于增加美国人的信心，去继承并且进一步发展现代欧洲绘画的传统。"[16]这里说的"许多重要的法国和欧洲画家"有厝吉、恩斯特、奥尚方、马宋等人，他们把超现实主义的潜意识因素输送到美国的抽象绘画之中。

抽象表现主义常常被人们称作"行动绘画"，因为它的表现主要来自艺术家的、直接的、整个身体的行动。正是在这一点上，它是从超现实主义不加预先思索的自动主义手法中得到启发的。

抽象表现主义的代表人物当推波洛克。杰克逊·波洛克（Jackson Pollock）生于怀俄明州的科迪城，在亚利桑那和加利福尼亚州长大，最初对雕塑感兴趣，曾受教于纽约学生联盟本顿画室。他不喜欢本顿的传统风格，对墨西哥西盖罗斯、奥罗斯科的画很崇拜，后来又赞赏汉斯·霍夫曼的现代风格。1943年首次举行个展，得到著名收藏家佩吉·古根海姆的赏识和支持。1945年至1946年之间，波洛克从纽约迁往郊区长岛，开始他的"行动绘画"的创作。这时的作品如《整整五嚼》(1947)是用油彩和铝在画布上绘制曲，顿时声名大噪，毁誉不一。1950年波洛克在古根海姆的支持下在威尼斯、米兰举行个人展览，还与戈尔基、德·库宁一起代表美国参加威尼斯双年展。作品或者用优雅的线（如《蓝色无意识》），或者在画面上厚涂繁复的色彩（如《灼眼》）。1951年，他的画风突然变得平静柔和，并且使用油彩、画笔，还出现暗示具体物象的模糊轮廓，除了黑白画（如《黑与白》第5号，1952）外，还作色彩布满整个画面的滴流画（drip painting）（如《集中》，1952），和厚彩的作品（如《气味》，1955）。在这期间，波洛克陷入极端的苦闷和矛盾之中，他对自己的行动绘画已失去信心，1955年他只作画一幅，停笔深思。在焦虑和失望中，他的精神状态变得异常，常常酩酊大醉。1956年8月11日晚，波洛克因驾车失事丧生。

杰克逊·波洛克，《秋韵（NO.30）》，布面珐琅，266.7cm×525.8cm，1950年

抽象表现主义的画幅尺寸很大，画家常常用刷墙的排刷做工具。波洛克作画的工具和方法和一般画家更为不同。对自己的创造过程，他有一段自白：

> 我的画不是在画架上完成的。我很少在画画时先把画布绷好。我喜欢将未绷好的画布钉在硬墙上或坚实的地板上。我需要这种硬的表面所产生的抗力。在地板上作画我感到十分自在，我觉得这样做更接近于画布。因为用这种方式，我可以在画布上四周走动，从四面八方都可以去画，实际上也可以站到画的里面去画。这和美国西部印第安人的沙画方式[17]相似。
>
> 我继而进一步摒弃画家常用的工具，诸如画架、调色板、画笔等等，我喜欢用棍子、瓦刀、画刀等，并且将沙、玻璃碎片或其他东西掺杂在颜料里，成为稠厚的流体，将它们滴在画布上。
>
> 在我作画时，我事先并不知道我在画什么。只是经过一个"认知"的阶段后，我才看到了我自己到底画了些什么。我并不怕改变，也不怕破坏意象之类的事情发生，因为画本身有它自己的生命。我要让画的生命显现出来，只有当我和画失去了联系，画的结果才会是一团糟。否则就是纯粹的和谐，取舍任便，所画出来的结果也是好的。[18]

波洛克的这种画法，摆脱了手腕、肘和肩的限制，便于表现无法自控的内在意识和行动。他在1944年时说过，某些欧洲画家（毕加索、米罗）把无意识作为艺术的源泉，使他深受启发。如果把波洛克关于自己创作过程的表白与布列东1924年发表的《超现实主义宣言》中关于"自动书写"的一段论述加以比较，可以找到它们之间的共同点，那就是两者都存在着相当成分的"被动性"。至于作品的内容，似乎和超现实主义不尽相同。里德认为，波洛克的画不是产生非理性的联想，不是来自无意识的表层，而是造成"感觉的形象，一种形状不肯定，色彩不确切的形象，它也许来自无意识的较深的一层，与来自外在世界的直接的知觉联想无关"[19]。

事实上，任何艺术创作要做到"与外在世界的直接的知觉联想无关"，是不可能的。至于波洛克和行动画派的画家们只承认个人内在的实在才是唯一真正的实在，或者，像罗森伯格把波洛克的画说成是"兑换的现象"（意思是说，画家将自己的行动"兑换"成客观的绘画），都充满着唯心主义的色彩。波洛克的绘画似乎是无意识地、自动地创造出来的，但实际上仍然受着创作者理性和感情的控制，只不过更多地掺入了偶然性罢了。我们不否认波洛克等人作品的社会价值和审美价值。我们可以同意抽象表现主义画家罗伯特·马瑟韦尔的分析。他说创造这类作品的画家"出自体验感觉的需要——想体验那种集中的、急切的、直接的、细致的、统一的、温暖的、生动的、有韵律的感觉"。我们也同意评论家小斯特宾斯的说法：

罗伯特·马瑟韦尔,《西班牙共和国之悲歌》,布面油彩,175.3cm×289.6cm,1961年,美国大都会博物馆藏

德·库宁,《阁楼》,综合材料,157.2cm×205.7cm,1949年

弗朗兹·克兰,《黑白灰》,布面油彩,266.7cm×198.1cm,1959年

"我们观赏一幅抽象表现主义者的作品时,是欣赏它的造型,它的颜色和画家创造过程的记录;我们通过画面上的滴色、泼色和粗野的笔触,看到了艺术家的个人感情,同时使人感觉到他的活力。"马瑟韦尔还说:"没有伦理意识的画家仅仅是一个装饰者。"[20]他创作的系列画《西班牙共和国之悲歌》,题材取自欧洲现代史,用色彩来表达一种悲寂的感情,以怀念他青年时期遭遇过的西班牙内战。在他的粗犷、豪迈的笔调和似乎出自偶然却又深思熟虑的构图中,我们是能体会到作者的意图和感情的。另外一些抽象表现主义画家如德·库宁(Wilem de Kooning)、弗朗兹·克兰(Franz Kline)等,其作品的气势和创造力也是值得称道的。德·库宁似乎想从颜料的肌理本身创造出一种意象来,但是,他又故意使这种意象处于一种混乱的状态之中。他的技法大胆,色彩和谐协调。评论家路希·史密斯说他的作品"境界如此地豁达,就好像他忽然发现了油画的奥秘,犹如中国和日本的文人画的画家们发现了水墨画的奥秘那样"[21]。克兰的抽象画的尺寸很大,结构上有点像中国字或中国字的某一部分,似乎向中国草书学习了表达美和力的方法。不过克兰没有公开承认这一点。坦率地承认从中国文化中领悟到某种新东西的是另外一位现代美国画家马克·托比(Mark Tobey),他虽然不属于纽约画派,但创作精神却和抽象表现主义是一致的。这位东方文化的崇拜者从1916年起便皈依宣传未来是极乐世界、期望普救众生的巴哈泛神教派。他长期在美国的西海岸(主要在西雅图)工作,一直注意研究日本版画、美洲印第安人的艺术及东方的书法,并得到了中国留美学生和研究中国的欧洲学者的帮助。1934年,他又到中国和日本研究佛教禅宗,在一个寺庙里居住一个月。托比自称采用的是一种"白色的线画",这种含有宗教神秘观念的抽象画,外表似乎覆盖了一层错综复杂的符号结构网,形式颇有节奏感。

美国的抽象表现主义比起第一次世界大战前后的抽象主义来,有了新的发展。这是因为:

一、它是特定历史时期的产物。美国在战后经历了经济危机和大萧条以后,出现了经济复苏的现象。与之相比,欧洲处于战后的困难时期,美国的经济有能力支持艺术形式上的革新,并且以此来标榜美国优越于欧洲而居于现代文明的中心。抽象表现主义渗透了美国的社会观和美学观,它在艺术上最显著的特色是寻求视觉和精神的刺激,其刺激的强度是战前任何抽象主义派别所不能比拟的。艾什顿的话有几分道理,他说:"抽象表现主义画家在一定程度上斥责了唯美主义者,他们要以美国式的粗犷的不完美和大胆,去代替他们认为的欧洲抽象主义的圆捆的完美。""它既汲取了欧洲现代艺术的养料,又把土生土长的力量和信心带进了欧洲现代艺术。"[22]

二、抽象表现主义在更广阔的层面上吸收了各种现代哲学观念。罗斯科的"冥想的风格",是与尼采的悲剧理论相通的,这位作者对《悲剧的诞生》一书爱不释手。哥特利布热衷于弗洛伊德的学说;戈尔基的《肝是公鸡的鸡冠》(1944)、《诱惑的日记》(1945)、德·库宁的《女人》等,充满了色情的隐喻。

三、抽象表现主义不满意超现实主义执着于表达社会、政治和道德的观念,强调艺术是"诉说真实""诉说感情的真实"。他们说的感情在很大程度上是在现实生活面前所产生的孤独、寂寞、恐怖和畏惧。基于此,人们称这些画家是一群与世不合、悲观失望的"浪漫主义者"。他们在画面上表现出来的,也多是"一种普遍的惶惶不安的情绪",一种"混乱情绪"。对于抽象表现主义绘画中的那种原始的野性,哥特利布解释说:"如果说我们的艺术体现了一种与原始艺术的亲缘关系,那是因为原始人所表现的情感在今天也还是很适合的。在这个充满暴行的时代,任何人对色彩和形体的细微变化的迷恋都是不合时宜的。"战后西方主要的哲学思潮萨特存在主义宣扬个人的存在高于一切,其他都是毫无意义的,在抽象表现主义绘画中表现为绘画行动本身的"绝对自由"。罗森伯格说抽象表现主义画家"在画布上的行动是一种解放，即从政治的、美学的和道德的价值观念中解放出来"[23]。还有人说波洛克等人的画"是一种与社会及其要求相隔离的行动"。当然，真正的解放或隔离是不可能实现的，那只是一种强烈的"解脱"企图罢了。笔者以为弗朗克·奥哈拉的分析更接近实际，他说波洛克是在"受自我怀疑的折磨以及焦虑的鞭打"[24]。这种不满现实而又看不到前途的矛盾心理和感情，在第一次世界大战前后的抽象画中已经流露得很明显，但在波洛克等人的抽象表现主义绘画中表现得就更加强烈和充分了。

四、正因为如此，在形式上抽象表现主义反对沿袭已有的风格而强调自动主义和生物形态型 (Biomorphism)。他们把超现实主义的"心理自动主义"发展成为"造型的自动主义"，即把绘画变成自由自在的创造行动。在无拘束的自由自在中，创作情绪的最佳状态可能呈现，也必然包含了偶然性的极大成功和自愉。所以波洛克的作品常常是从大幅画布中剪裁下来、装上画框和加上标题的。同样，这种自由自在的行动有可能导致对绘画创作的传统观念和实践的全部否定，抽象表现主义之后的事实说明了这一点：行动绘画逐渐向行动本身转移，绘画的价值逐渐减弱以至消失，行动本身成为价值判断的标准。这种新达达的观念和实践，染上了极浓厚的虚无主义色彩。

所谓生物形态型，乃是用人体器官和某些原生物的变态形象组成画面，使其具有象征意义。他们认为，这种生物形态比之几何抽象来，更远离当今的物质文明和机械文明，更接近于自然的"本源"，更符合在西方普遍流行的人性复归的哲学观念。其实，这仍然属于抒情抽象的范畴，是服从于绘画的"绝对自由"原则的。只是这种形式不可能持续很久，在抽象表现主义流行后不久，在美国和欧洲很快出现了与之相反的抽象形式——几何抽象在新形势下的发展——"后绘画性的抽象"或称"硬边抽象"。因为它抛弃了色彩的明暗对比以及三度空间的色彩效果，用大面积的色面构成平坦的两度空间的画面，故又被称作"色面绘画""极少绘画"或"系统绘画"。"后绘画性的抽象"在材料、技法上所作的一切探索，都是为了画面的效果。无怪乎路希·史密斯说："后绘画性的抽象绘画崇尚空谈的性质是很明显的，犹如逻辑的实证论者沉醉于探讨哲学中纯粹语言的一个方面，那些依附于这一运动的画家们摒弃绘画的一切其他考虑，全神贯注地沉醉于一种狭窄的纯画面领域。"[25]从这里可以看出，"后绘画性的抽象"是一种纯粹形式主义的绘画，它能起的作用仅仅在于实用工艺和装饰艺术领域。

在简略地回顾了西方抽象主义绘画发展的主要阶段和主要派别，介绍了他们的理论主张和艺术追求的目标之后，我们大致上可以得出这样的结论：抽象主义在开始出现时远不只是一种艺术风格和流派，更不只是一种手法，而首先是一种艺术观念和艺术思想，是抽象艺术的观念和思想指导下的艺术创造。这种观念和思想的源泉首先是出于对现实社会的不满而产生的超脱与回避。德国当代美学家沃林格尔 (1881—1965) 在 1908年出版的《抽离与情移》(Abstraktion und Einfuhlung) 这本著作中，在修正李普斯"情移"说的同时，提出了"抽离"的学说。这位美学家指出，在近代文艺中出现了一种明显的、强烈的"抽离的趋势"。如果说情移的先决条件是在于与外界现象之间保持着一种可以信赖的乐观的泛神关系的话，那么抽离的趋势则是出于人与其所处的环境之间的极大的内在矛盾与冲突，出于人对于广袤现象的紊乱所怀有的恐惧。人们不能在变幻莫测的客观世界里得到安慰，便只能在艺术形式里求得庇护。这种从客观世界中解脱出来的愿望，便产生哲学上、美学上"抽离"的倾向，在艺术上相应出现"抽象"的趋势[26]。需要指出的是，沃林格尔的理论对于抽象主义美术的发展不是没有影响的。他曾经是康定斯基的朋友，他的著作是康氏所熟知的。康氏"内在的需要"

的理论，实际上源于沃林格尔的"心理的需要"的学说。

近现代唯心主义哲学家们的理论也对抽象艺术的发展起了刺激作用。例如叔本华认为，艺术应以柏拉图的观点为准绳，把理解到的有关事物的概念作为表现的根据，而不是像传统艺术那样把事物的一般外表作为依据。这种理论推动了几何抽象艺术的发展。虽然尼采、柏格森、弗洛伊德没有具体论述抽象艺术，但有一点是肯定无疑的，即抽象派画家们对于精神经验的最深刻的感受的关注，远远超过对于世俗生活之反应。这得益于上述唯心主义的哲学家们。这些唯心主义哲学把着眼点放在人类精神经验的深刻感受上——即使对这些精神经验作了夸大的、歪曲的解释，对于与表现人类精神生活的无比复杂性和丰富性有不可分割的联系的艺术来说，也是有重要影响的。

20世纪的文艺理论，特别是新批评、结构主义和后结构主义，把文艺批评的重点放在作品本身，注重作品的结构分析，否认文艺与广阔的社会生活的联系，提出"陌生化"的概念，主张作品为读者的体会留有的余地越多便越是成功，主张读者参予创造活动，甚至全盘否定语言意义的明确性，赞同意义的不确定性、模糊性……都对抽象主义的流行起了推波助澜的作用。

此外，从美学和艺术学的角度看，抽象主义艺术作为一种风格和一种表现语言，它的产生也有其历史的必然性。

首先，抽象主义艺术的出现基于人类造型观念的拓展。按照美学家威尔翁(Max Verwon)的意见，人类有了艺术创造之后，实际上有两种造型观，一种是"天然造型观"，另一种是"观念造型观"。天然造型属于模仿、再现的性质，观念造型是把联想、幻觉等观念客观化，是表现性的。尽管这两种造型实际上很难截然分开，尽管艺术中的再现和表现是相对而言的，但是艺术创造的观念和实践毕竟有所偏倚和侧重。天然造型观可以看作是再现客观自然的写实艺术的基础，观念造型观可以看作是一切偏离写实艺术的写意、象征、表现、抽象艺术的基础。假如说观念造型早就存在于人类的艺术创造之中，那么，观念造型观的自觉和上升到理论却是在19世纪末和20世纪初。观念造型观之所以能诱发出抽象艺术来，那是和前面提到的人们存在的社会历史条件和心理需求有密切联系的。

抽象主义艺术既然是一种造型，从它们的存在中我们可以分析出下列的形式：

①几何形的构成，传达理性与秩序。

②不受理性支配，用富于感情的自动性的描绘来传达内心不可抑制的感情。

③记号和符号的造型。用恰当的记号和符号能表现出一种想象力，有时也能呈现空间感，表现形与色的节奏。

④由肌理、笔触、色泽、材料的感觉形成的造型。

波特莱尔说过一句话，"自然只不过是绘画的辞典罢了"，意思说，大自然不需文艺家们去重复和模仿，它乃是上帝赐予人们的大辞典，画家可以像诗人在辞典中选择自己需要的词汇，选择自己需要的词句那样，从大自然中选择自己需要的造型语言。这位唯美主义的诗人本是想以此来说明形式美感的重要性的，但却预示了摆脱描述自然的抽象艺术的发展前景。

其次，抽象主义艺术出现在20世纪是因为人们的思维越来越严密，越来越抽象的结果。人们在科学的抽象思维中发现一种看不见、摸不着，但能触动人们心灵的感觉，便试图用抽象的形式来表现这种感觉；再加上工业、科学的突飞猛进，使人们对速度、力量、效率这些抽象美感产生兴趣，也促使人们在点、线、面和色彩的关系和组合中来探求表达这种感觉的途径。新技术、新材料推动了现代建筑艺术和环境艺术发展，要求与之相适应、相协调的绘画、雕塑作为建筑和环境的装饰，作为它们的有机组成部分，这给抽象艺术的发展提供了广阔的可能性。

再者，西方抽象主义从东方文化中汲取了养料。从19世纪末以来，西方的哲学家和文艺家们对东方文化，特别对印度、中国古代的哲学、美学思想产生浓厚的兴趣，中国哲学中包含的辩证法，中国古代艺术表现中的抽象性，都使西方的文艺家们惊叹不已。早在20世纪初，老子的著作就被译成德文。包豪斯的主要活动家之一义滕(Itten)在1923年包豪斯第一届学生作品展览会的开幕式上，曾引用老子《道德经》上的一段话：

三十辐共一毂，当其无，有车之用。埏埴以为器，当其无，有器之用。凿户牖以为室，当其无，有室之用。故引有之以为利，无之以为用。

义滕和抽象派画家们所欣赏的是老子对物质空间意义的解释，是对"有""无"的依存关系和相互作用的辩证认识。曾经驱使中国艺术家在解决虚实关系更为自由、大胆的老子的哲学、美学思想，也在20世纪初对抽象主义以很大的推进。借助于它，西方的文艺家们不仅把虚、无看作是实、有的补充，而且认为它们比实、有具有更为重要、更为深刻的内涵。

衡量和判断抽象主义艺术的价值，不能不联系产生这种艺术的社会背景和哲学基础，不能不指出它们回避现实的唯美主义倾向，也不能不指出抽象主义鼻祖们康定斯基、蒙德里安等人的理论的唯心主义色彩和宗教神秘情绪。他们试图用抽象主义艺术来改造现实，改造人们精神世界的想法，只是乌托邦式的空想。还有，他们对写实艺术的过激态度，对人类精神文化遗产的解释，含有很大的片面性。更不用说，抽象主义是一个不确定的思潮和流派，被称为抽象主义的作品，不仅呈现出多种形式，而且在思想内容和艺术质量上差异甚大，鱼龙混杂的情形比比皆是。在这种情况下，笔者以为必须坚持对具体情况作具体分析的态度，而且还必须作细致的分析，要把做严肃艺术探索的抽象派画家和那些不愿从事艰巨艺术劳动，用抽象形式来掩盖自己的无能并以此来哗众取宠的人区别开来。还要区别抽象主义画家们哲学的、美学的宣言、纲领和他们的艺术实践，要把他们的作品作为存在的实体来认识和评价，要重视作品本身、绘画图像本身的价值。例如，康定斯基、蒙德里安的美学思想我们是难以赞同的，他们的作品的审美价值却是不应否定的。须知诱发一种艺术的观念和艺术实践本身之间是既有联系，又有区别的。犹如艺术的最早出现与巫术和原始的宗教信仰有关，尔后才成为人类高尚的、科学的精神活动一样，抽象主义艺术最初反映了艺术家们苦闷、彷徨、焦虑和虚无的思想感情，但这种形式一旦被创造出来以后，便可能成为新内容的载体。抽象主义可能获得新的灵感、新的内容，抽象的形式可能获得新的发展，以用来表达人们深邃、丰富、高尚和细致微妙的思想情感，表达崇高的精神境界。

在马克思主义的文艺理论批评中，长期以来只注意和强调了抽象主义理论的唯心主义和神秘主义的一面，对抽象主义艺术出现的某种必然性，对抽象艺术的审美价值，没有认真地加以研究。因而，对抽象主义的批评，也只是停留在表面上，往往把那些劣品、次品当作代表作来批评。更为普遍的情况是，我们在文艺理论研究中，常常采取"独尊儒术、罢黜百家"的态度，写实主义或现实主义往往被我们作为唯一的表现体系和至高无上的风格流派来认识，并从写实主义或现实主义的体系出发，来否定包括抽象主义在内的其他风格、流派。写实主义或现实主义艺术，和人生、和社会现实的联系比较直接、明显，语言明白、易懂，易为广大群众所欣赏、所理解，理应得到重视。但作为人类精神活动的文艺，应该有极其丰富、极其多样的表现形式。宇宙间有多少境界，艺术中就也可能有多少境界。应该彻底改变我们艺术生活中那种不正常的情况了——抽象艺术的实践得到越来越多的人的承认（只要举出葛洲坝上的纪念雕塑和最近落成的广州天河体育中心的主雕《夺》就足以说明这一点），但在理论上几乎毫无分析地把抽象艺术与颓废艺术等同起来。

马克思主义的文艺理论和批评应该是最先进、最科学、最开放和最求实的，它决不墨守成规，因而也是最有生命力的。从社会需求出发，从文艺实践本身出发，不是从书本和概念出发；敢于面对最生动、最活跃的生活实践和艺术创造，而不是回避和绕过它们，应该是马克思主义文艺理论和批评的重要品格。我们必须承认，发展了好几十年的抽象主义艺术已经创造了相当一部分有社会价值和艺术价值的作品，它们是 20 世纪人类精神创造成果的一部分，并已得到包括当代许多现实主义大师的承认。[27] 在俄国，经过几十年的否定和批判之后，康定斯基、马列维奇等人的作品又重新在国家博物馆陈列和展出，在艺术上也得到一定的评价。有人以为，抽象艺术不描绘具体物象，创造者可以随意涂抹，人们在欣赏的过程中，没有参照的依据，没有判断的标准，似乎只能人云亦云。这种说法是肤浅的，除了不描绘具体物象这一点不同于写实艺术外，创造抽象艺术的许多要求同样是严格的，一个严肃的抽象主义画家要掌握的基本功，不应该少于或弱于一个写实的画家，在这些基本功中，包括写实的能力。要知道康定斯基在 1911 年以前是位写实能力很扎实的画家，他的创作经历了印象主义、后印象主义的阶段；同样，蒙德里安在从事几何抽象的创造以前，用印象主义手法绘制的大量作品非常精彩和有表现力。面临画布的平面，抽象主义画家需要解决许多复杂的课题：平面与空间，色彩关系，线的组合、排列，整体与细部，放开与控制，肌理关系等。如果说，写实的绘画（除确定的情节内容外）在人们欣赏过程中有见仁见智的现象，那么在抽象主义作品中这种情况就更为多见。它要求人们以一种更为自由的心态去欣赏艺术，更充分地发挥自由想象。在一件出色的抽象作品前面，人们可以对自然、对人生、对社会、对艺术作自由的遐想——这大概是包括不少科学家在内的人们对抽象艺术颇为欣赏的原因吧！

西方有些抽象主义的理论家和创作家们从学派的偏见出发，宣扬未来的世界是抽象主义的天下，那是可笑的。自抽象主义诞生以来，已经近八十个年头，写实主义或现实主义在受到摄影、电影和录像的挑战下远未销声匿迹，而且有了新的发展。只要写实主义或现实主义沿着为人生、为社会的道路走下去，并且不断从别的流派中吸取新的养料来丰富自己，它永远是不会被人们抛弃的，它永远应该占据重要的位置。抽象主义艺术呢？它不像现实主义那样直接地服务于人生、服务于社会，但同样可以有益于人生和有益于社会的完善和进步。作为一种艺术表现，它在创造"具有人的本质，这种全部丰富性的人"，创造"具有丰富的，全面而深刻的感觉的人"这方面，能起到积极的作用。它也能像现实主义艺术那样，"创造出懂得艺术和能够欣赏美的大众"。总之，它可以从另一个方面满足人们精神世界的需求。

社会主义的艺术应该而且可以包容抽象主义，当然这种抽象主义应该是积极的、向上的，应该启迪人的智慧或者给人们提供美和力。

（原文发表于《文艺研究》1988 年第 3 期）

注释

[1] Phaidon, *Dictionary of 20th-Century*, 1977, New York.

[2] 苏珊·朗格，《艺术问题》（附加篇《科学中的抽象与艺术中的抽象》）中译本，中国社会科学出版社，1983 年。

[3] W. Grohmann, *W. Kandinsky*, Leben und Werk, Koln, 1958.

[4][5][6][7] V. Kandinsky, *Concerning the Spiritual in Art*, New York, 1947.

[8] 见 Der Blaue Reiter (Almanach, 1912), Munich.

[9] 引自厨川白村著，陈晓南译，《西洋近代文艺思潮》，台湾志文出版社。

[10] K. ManeBu, *O HOBblX CHCTeMaX B MCKycCT-Be*, BHTe6cx, 1919.

[11] 鲁迅，《〈新俄画选〉小引》（《集外集拾遗》）。

[12] H.L.C.Jaffe,*De stijl,1917-1937*, London, 1956.

[13] M.Seuphor, *P.Mondrian*, New York, 1957.

[14] P.Klee, *Uber die Moderne Kunst*,Bern, 1949.

[15] S.Giedon, *Archtektur und Gemeinschaft*,1956.

[16] 转引自中文版《波士顿博物馆美国名画原作展》画集。

[17] 印第安人出于巫术观念用来治病的一种方式，他们把彩色的沙铺在地上，用枝条或其他工具绘出各种图像，待病人痊愈后再把这些沙画抹掉。

[18][19] Frank 0'Hara, *Jackson Pollock*, New York, 1959.

[20] H.Read, *A Concise History of Modern Painting*, New York, 1975.

[21][22][23] E.Lucice Smith, *Late Modern-The visual Arts since 1945*.

[24] 艾顿，《美国绘画七十年》，载《外国文艺》1979年第1期。

[25] Harold Rosenberg, *The Tradition of The New*, London, 1962.

[26] 这里说的"抽离"与"抽象"在西文中为一个词。德文中的 Abstraktion 和英文中的 Abstraction 对于"移情"来说，译成"抽离"较为合适；对"具象"来说，则应译成"抽象"。

[27] 参见拙文《西方当代美术中的现实主义》，载《文艺研究》1984年第1期；《发展中的苏联绘画》，载《文艺研究》1985年第1期。

作者简介

邵大箴（1934— ），生于江苏镇江。1955年赴苏联列宁格勒（现圣彼得堡）列宾美术学院美术史论系学习，1960年毕业后回国任教于中央美术学院人文学院美术史系。曾任中央美术学院《美术研究》和《世界美术》主编。现任中央美术学院教授、博士生导师。

历史的转折点
——方法论学习笔记

易英

图1 库尔贝，《浴女》，227cm×193cm，布面油彩，1853年，蒙彼利埃·法布尔博物馆，1868年布吕亚捐赠

图2 朱利叶·沃龙·德·维伦内夫（1795-1866），《自然研究，裸体，第1936号，"浴女"的模特》，16.5cm×12.3cm，纸质底片的盐版相片，1853年，法国国家图书馆版画和摄影部

我以前写过一篇文章《图像学的模式》（见《美术研究》2003年第4期），区别了帕诺夫斯基的图像学和贡布里希的图像学。关于这个问题，文化历史学家彼得·伯克说得很清楚："帕诺夫斯基如果不是以敌视至少也是以无视艺术的社会史而闻名。他的研究目标尽管是想找出画像的'特有'的意义，但从来不提出以下这样的问题：这个意义是对什么人而言的？"[1]"图像学家认为图像表达了'时代精神'。这个观点所带来的危险多次被批评者所指出，尤其是恩斯特·贡布里希在批判阿诺德·豪泽尔、约翰·赫伊津哈和欧文·帕诺夫斯基时所指出的：主张特定时代的文化是同质的是不明智的。"[2]

一般认为图像学是关于艺术作品的题材与内容的研究，解读隐藏在作品内部的意义。在图像学看来，任何艺术作品都不是自明的，只有经过对图像本身的题材与内容的分析和解释，才能知道其真正的意义。帕诺夫斯基把图像学的解释分为三个层次。第一个层次是前图像志描述，对图像的内容进行基本的识别。前图像志描述不仅有对基本事实的识别，也包括构成图像的基本条件，即是用什么样的材料和怎样的形式构成图像。第二个层次是图像志分析，对事实的具体证明，搞清楚题材的所指，故事的内容、具体的时代和环境、人物的身份，以及图像的创作时间、风格流派，等等。比如，在第一个层次，我们看到一个战争的场面，在不知道任何背景和历史知识的条件下，我们只看出是一群人在和另一群人打仗。在第二个层次，就要搞清楚这是什么战争，是奥斯特里茨战役还是滑铁卢战役。画家在什么条件下画的，是用什么手法画的，古典主义、现实主义还是象征主义。第三个层次，也是最高级的层次，是图像学的解释。历史学家把图像放入一个广阔而复杂的文化系统对作品进行考察，揭示出一个图像所隐藏的民族、文化、阶级、宗教和哲学的基本倾向的根本原则。正是这些构成图像的意义。帕洛夫斯基在解释提香的《天上的爱和人间的爱》时，编织了新柏拉图主义的哲学背景，不只是哲学解释了图像，图像也证明了哲学。艺术与文化共生，图像的意义纳入一个看似合理的逻辑框架。问题在于艺术家不是哲学家，甚至艺术家可能根本就不关心哲学，艺术家怎么会按照一个哲学的命题来生产图像。而且，文艺复兴时期的艺术家并没有根本摆脱工匠的身份，和人文主义者相比，艺术家没有受过多少教育，别说研究哲学，就是一般的哲学理论他们也可能看不懂。关于这个问题，有两个解决的途径。一个是艺术家并非直接根据哲学来创作，而是在现成的艺术样式上注入新的观念，如同新柏拉图主义哲学是从中世纪逐步演变而来的一样，特定的艺术样式也会随着时代的变化而增加新的内容。艺术家实际上是在从前的图像和某种规定的样式中来创造新的图像。例如，柏拉图的《会饮篇》讨论过两个阿芙罗底德，同为女神，一个代表神圣，一个代表世俗。经过新柏拉图主义者菲奇诺的解释，她们又分别代表了宇宙智慧与灵魂，世俗与欲望。在文艺复兴的饮宴题材的绘画中，女性形象总是包含着这样的意思。通过饮宴根据一个人文主义的方案来创作的。这也涉及图像学的另一个概念，图像的解释就是弄清楚画家所要表达的意思。这个意思可以是画家自己的，也可以是别人通过画家来表达的。帕诺夫斯基不能证明艺术家是怎样根据人文主义者的方案来创作的，贡布里希则用具体的事实来说明波提切利的《春》是怎样从一个方案中产生的。一个由委托人、哲学家和经纪人组成的班子，制定一个人文主义的方案，艺术家是这个方案的执行者，将人文主义的思想转换为视觉表达，而且具体的表达方式也包括在方案之中。

巴克桑达尔将他的艺术史方法称为艺术社会史，他说："一幅15世纪的绘画是某种社会关系的积淀。一方为绘画作品的画家或至少是此画的监制者；另一方为约请画家作画、提供资金、确定其用途者。双方均受约于某些制度和惯例——商业的、宗教的、知觉的，从最广义上说，社会，这些不同于我们的制度和惯例影响着该时代绘画的总体形式。"[3]贡布里希研究了一个视觉图像是如何在社会条件下产生的，艺术家的思想来源是什么。巴克桑达尔进一步强化了社会的作用，艺术家及其作品本身都是社会的产物，艺术家的创造性功能也是置于社会关系之中，一定的社会"制度与惯例影响着该时代绘画的总体形式"。巴克桑达尔特别指出了艺术家的形式是怎样受制于特定时代的视觉环境，正是视觉环境决定艺术家的形式选择。在形式主义看来，艺术史就是风格演变的历史，每个时代都有自己特定的风格，社会与历史的条件可能影响和延缓某种风格的发生，但新的风格是不可避免的，而且新的风格都是通过伟大的艺术家体现出来的。图像学不关注风格与形式，在内容的阐释上没有大师与平庸的区别。图像学不能解释艺术的发展，不能解释艺术形式与艺术家的个人创造之间的关系，社会学是对这一点的弥补。但是，在社会的制度与惯例影响着时代绘画的总体形式的时候，艺术家的个人作用是什么，艺术家的主动创造与社会影响之间的关系是什么，显然不是单纯的图像学和社会学能够做出解释的。

一种风格的产生刚开始是不为人知的，因为它淹没在己有的风格中。在与传统的风格和正在发生的其他风格的竞争中，新的风格发展壮大，独领风骚，成为一个时代的标志。李格尔的《风格论》论述了一种风格产生的过程，新风格首先潜藏在传统之中，在众多的样式中，出现某种变异的图案和纹样，往往预示着新风格的来临。在艺术创作中也是如此，"人们自己创造自己的历史，但是他们并不是随心所欲地创造历史，而是在直接的、既定的、从过去继承下来的条件下创造。"[4]每个时代都有其时代的艺术，每个时代的艺术都具有不同于其他时代的艺术特征。李格尔说，作为个别的艺术家可能会失败，但一个时代的艺术意志必定会实现。一个伟大的艺术家，往往是新风格的创造者，同样，衡量一个艺术家是否伟大，就在于是否创造了新的风格。一个艺术史的阶段也是以某种独特的风格为代表，其起源与发生，成熟与鼎盛，没落与衰败；然后，新的风格诞生，新的时期开始。风格学以风格的发生和演变为对象，通过形式的分析与类比，在历史的尽头寻找形式的证据，从而开始风格史或形式史的演进。一种新风格怎样产生，一种新形式怎样创造，有无特定的语境，有无特定的动机或契机，似乎都不是风格史家的工作。李格尔在谈到风格起源时说过，"社会和宗教的现象是与艺术相互平行的现象，而不是影响艺术起源与发展的潜在原因。而这些平行现象的背后，是不可捉摸的世界观，或民族精神、时代精神在起着支配作用。"[5]帕诺夫斯基在解释李格尔的"艺术意志"时也说过同样的意思，文化的整体运行支配个别的艺术事实。但是，对艺术创作而言，不论是风格的演变还是形式的变化，总是通过具体的艺术家来实现的，如李格尔所说，世界观、民族精神或时代精神，既影响着社会和宗教，也影响着艺术，但不是影响艺术起源和发展的潜在原因。这个意思是说不能把风格的起源和发展与它们直接联系起来。事实上，新风格的产生是有原因的，一种风格替代另一种风格，似乎是历史的必然，但历史并不知道，为什么一定是这种风格来替代，而不是另一种。即使是一种风格降临在艺术家身上，艺术家成为新风格的承载者和实现者，那么这种降临也必定是艺术之外的原因。也就是说，艺术家不可能揪着自己的头发离开地面。

19世纪中期是欧洲艺术史上的一个转折时期，一方面是学院主义的鼎盛时期，另一方面是现实主义的出现，预示了学院主义的终结和现代主义的发生。现实主义的代表人物有米勒和

图3 朱利叶·沃龙·德·维伦内夫（1795-1866），《自然研究，裸体，第1906号，"画室"的模特》，16cm×11.4cm，纸质底片的盐版相片，1854年，法国国家图书馆版画和摄影部

图4 朱利叶·沃龙·德·维伦内夫（1795-1866），《自然研究，裸体，第1930号，"画室"的模特》，14cm×9.1cm，纸质底片的盐版相片，1854年，巴黎，法国国家图书馆，版画和摄影部

图 5 库尔贝,《斜倚的裸体》,75cm×95cm,布面油彩, 1862年

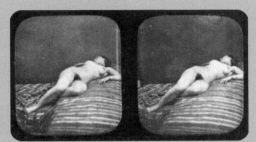

图 6 皮埃尔 - 安布鲁瓦兹 · 里什堡（1810-1875）,《斜倚的女人体》, 8cm×17cm,立体达盖尔版照片,1855年, 法国国家图书馆版画和摄影部

库尔贝,但直接与学院主义对抗并改写了古典与学院风格的则是库尔贝。波德莱尔在《一八四六年的沙龙:关于现代生活的英雄主义》一文中说:"裸体画,艺术家们的宠儿,成功不可缺少的部分,今天一如与古代一样频繁和必要:在床上、在浴池或在解剖室。绘画的主题和来源同样丰富多变,只是有了一个新元素,即现代美。"[6]现代生活的英雄和现代美都是有所指的,它区别于传统,强调现代生活的人物及其所体现出来的表现他们的形式。英雄有着双层性,既是古代神话和宗教中的英雄人物,也是古典艺术中表现英雄的艺术样式。这种样式形成于文艺复兴,在19世纪中期的学院派艺术中达到顶峰。1862年的沙龙,获大奖的是亚历山德拉 · 卡巴莱(Alexandre Cabanel)的《维纳斯的诞生》,这个在海水中诞生的女神完全是学院主义的产物,延续了古典传统的裸体表现。与此同时,爱德华 · 马奈的《奥林比亚》和《草地上的午餐》也画于这个时候,这可能就是波德莱尔说的床上的裸体。不过,波德莱尔说这话的时候,马奈的作品还没出来,另一个与他有来往的现实主义画家是居斯塔夫 · 库尔贝(Gustave Courbet),在库尔贝的著名作品《画室》中,就有波德莱尔的影子,库尔贝认为波德莱尔是他的思想来源之一。库尔贝这时正致力于现实主义的创作,波德莱尔把它称为自然主义。波德莱尔说:"对我们来说,自然主义画家和自然主义诗人一样,几乎是妖魔。他们唯一的鉴赏标准是'真'(当'真'被用得恰到好处时,也是十分崇高的)。"[7]波德莱尔是很敏感的,他意识到了新风格的来临,这种风格就是如实地反映生活,不仅在题材上,更重要的是在形式上。自然主义的形式就是自然的本来面目,有能力的画家不会按照自然的本来面目来作画,他们总是要把自然纳入美的范畴,使自然不成其为自然,而是在某种标准下的美的提升。1861年,在对"淫荡画"的创作者的指控中,帝国检查官琴德瑞(Gendreau)说,艺术家拒绝理想的美是基于美学的堕落,以此解释淫秽形象的流行:"直到最近,在绘画领域,我们看到一种所谓学院的'现实主义'的出现,以制度的名义违背美……取代意大利和希腊的美女,一些种族不明的女人令人遗憾地在塞纳河两岸留下了标记。"琴德瑞的指控与库尔贝的画脱不了干系,早在十年前库尔贝画出了"淫荡"的裸女,引起过一片指责。不过,库尔贝的追求不在"淫荡",而在现实主义或自然主义的表现。

现实主义无疑以库尔贝为代表,这种新风格是从哪儿来的? 他敢于抛弃学院派的造型规则,直接描绘真实的形象,不加任何美的修饰。1849年沙龙库尔贝展出了《奥尔南的餐后》,这件作品标志着库尔贝在艺术上的成熟,此后他不再画那种感伤性的题材,而致力于真实的单纯的农民形象,而且还是要用纪念碑的风格来画这些农民,对库尔贝的指责和讽刺也从这时候开始,认为他画的形象"粗俗""丑陋"。库尔贝没有很好的学院派的基础,他早期在家乡奥尔南的一所美术学校受过简单的训练。他的父亲不同意他学习艺术,要他学习法律,将来好当律师。他到巴黎本来也是为了学法律,但他还是迷恋艺术。他没有去美术学院学习,而是自己到博物馆学习,他认为直接向老大师学习,更能接近艺术的真谛。库尔贝在技术上很有天赋,他无师自通,没有受过严格的古典训练,主要靠临摹古典绘画,却也具有了严谨的造型能力。从19世纪40年代中期以来,这位年轻艺术家对老大师十分熟悉,虽然他一再表明他是自学的。库尔贝在那时是卢浮宫最勤勉的访问者;年轻女人动人的睡姿,丰满的身体,侧卧的方式,与它煽起的欲望无关,其深度直接出自柯罗乔的《维纳斯》。虽然他从老大师那儿学习的是古典美,但他的创作却是自己的一套。他不画古典题材,他画的都是现实生活,现实主义由此而来。他的题材大多来自他的家乡奥尔南的乡村生活,如果是巴黎的题材,也是画的下层人物的形象。对于学院主义的憎恨很可能出自他对巴黎人的不满,尽管他的家族在地方上不是下层的劳动人民,他父亲是一个商人兼地主,他的经济条件足以支撑他的艺术活动,但他在巴黎仍被视为乡巴佬。

他也干脆回到奥尔南作画，那儿不仅有他熟悉的生活，也有学院主义无法表现的形象。

1849年，他的《奥尔南的餐后》在沙龙展出，那种乡土味十足的室内场景却使他获了奖，库尔贝为他高超的技巧而骄傲，他倒不认为乡土题材比技巧更重要。但是评论并不接受他的题材，有一篇评论尖刻地说："没有谁能够用这样高超的技巧来画阴沟里的东西。"高超的技巧是指库尔贝的造型能力，他确实发展出一套自己的画法，这种画法很难为传统的人士所接受。《奥尔南的餐后》画于1849年，早于库尔贝的其他现实主义作品，被认为是库尔贝的第一个现实主义宣言，以其大胆和不羁挑战传统的造型。"阴沟里的东西"关键在于这些东西散发出来的阴沟的味道，"阴沟"其实是西方绘画的传统题材，从宗教到神话，绘画的故事很多是在田园和乡土展开，或者在市井街陌，如拉斐尔的田园里的圣母，卡拉瓦乔的酒馆里的使徒，但这些人物都是理想化的，造型都是希腊式的（19世纪的法国称为"意大利式的"）。19世纪中期，在法国和英国，画劳动题材和社会下层题材的画家不少，这些画家可能接受了现实主义的影响，可能具有社会主义的思想，但他们画出来的并非真正的现实主义，像是学院派的演员穿上农民的服装在舞台上的表演。如我们比较熟悉的法国画家莱昂米特的《收获的报酬》，表现的是农民题材，也对社会的不公进行了批判，然而整个画面仍然是古典式的，向心式的构图，犹如舞台剧的结构：人物造型如同希腊雕塑，甚至形象都像古罗马的将军。琳达·诺克林说："在观念或政治上的'进步'或'跟得上时代'绝不意味着在作画时也能有相类似的进步表现。这也就是1848年二月革命的实际现实往往表现在一些画风低调、平和的画作上的原因……"[8]再看库尔贝的《奥尔南的餐后》，非常平实的场面，现实生活的真实记录，没有任何激进思想的设定，就是画他的"如我所见"。人物的布局随意而散乱，只是一个偶然的瞬间，中心的人物背对着画面，也是偶然的回头，人物的动作完全是生活的原样。这种随意性的构图和偶然性的动作，都不是学院派的绘画能做到的，即使是有意地追求普通生活场面的表现。

这样的处理很可能是参考了照片，消解理想化的造型，捕捉随意的生活场面，都是照片可以做到的。在50年代末和60年代初，库尔贝都是在他的家乡奥尔南作画，最有名的作品当然是《奥尔南的葬礼》。研究库尔贝的学者德斯普莱斯（Desplaces）针对《奥尔南的葬礼》的表现手法说过："愿意的话，你可以说是想象，艺术家根据头脑中的想象画出模糊的乡村葬礼，给它以纪念碑式的绘画比例。这只是一种幻想，给日常生活的场面以纪念碑式的比例，似乎不是库尔贝的发明，但他完全意识到，通过大幅的着色的银版（达盖尔）照片来复制最粗俗的农民形象。"[9]这并不是说库尔贝直接用照片来复制现实的场景，而是说库尔贝画的农民像照片那样逼真和粗俗。实际上，在这一时期，库尔贝对摄影照片确实也很感兴趣。他的一些作品直接参照了照片，照片为他提供了自然主义；同时照片对他也意味着一种艺术观念，不仅仅是表现手段。针对19世纪摄影和绘画的关系，波德莱尔说："对我们来说，自然主义画家和自然主义诗人一样，几乎是妖魔。他们唯一的鉴赏标准是'真'（当'真'被用得恰到好处时，也是十分崇高的）。""在这值得悲哀的时期，产生了一种新型工业，它对巩固这种信仰中的愚笨和毁坏任何可能存在于法国人头脑中的神圣的东西都丝毫没有贡献。达盖尔是他的救世主。""现在，忠实的人对他自己说：'既然摄影能保证我们追求的惟妙唯肖，那么，摄影和艺术就是一回事了。'"[10]摄影的产生催生了自然主义（现实主义），也引起了学院主义的敌视。学院主义不是反对摄影本身，而是反对绘画像摄影那样，毫无美感地复制粗俗的自然。库尔贝需要的正是这种效果，既找到一种方式达到自然真实的效果，又满足了他反对学院规则的需要。摄影如实地反映真实，它消解了绘画对现实的美化。它再现了人体的真实比例，为准确地造型提供了一条捷径，学院主义苦苦追求的逼真再现，摄影似乎毫不费力地达到了。波德莱尔站在前卫的立场，讽刺了学院主义面对摄影的恐慌，也意识到了这种新媒介可能对艺术带来根本性的变化。

库尔贝对摄影的态度是矛盾的，他目睹了直接复制照片的绘画在沙龙的失败，也尝试了用摄影代替写生，让模特儿摆出学院的动作，通过摄影的记录，再搬上画面，《筛谷者》可能就是这样画的，两个模特儿都是他的妹妹。后者的画法，仍然没有摆脱学院的局限，尽管画的是劳动题材。1853年，库尔贝的朋友，画廊老板阿尔弗雷德·布洛亚（Alfred Bruyas）给在奥尔南的库尔贝寄了四张照片，都是布洛亚画廊藏画的复制，一张德拉克洛瓦的肖像草图，一幅肖像画，另外两幅学院派画家的作品。在一张照片后面布洛亚写了几句话："亲爱的库尔贝，好好看看我给你的这几张照片。这是现代绘画的真实之歌。既要按照绘画又要按照摄影产生的真实的版画来看待它们。"[11]早期的摄影还不是采用底片洗印的照片，达盖尔银版摄影只能产生一张照片，照片的复制是采用版画的技术。因此，早期的摄影有很多版画家参与，版画家更了解艺术家对摄影的需要。库尔贝收集了很多这种版画式的照片，有一些是直接用于创作的素材，请摄影师或版画家为他定制的，有一些是创作的参考，不见得直接用于创作，有些模特儿的照片，更像是工作的记录。一直到库尔贝创作的后期，都还在参考这些照片。大多数照片都没有保留下来，一是因为普法战争期间，他的画室遭到普鲁士士兵的洗劫，大多数照片不知去向；二是因为他的妹妹认为那些照片有伤风化，处理掉了一部分。

女人体的描绘是库尔贝反对学院派的一个突破口。人体表现不仅包含了人体造型的众多规则，还有理想化的要求，官方的趣味和整个上流社会的集体认知。安格尔、卡巴拉、布格罗这些学院主义的大师，把人体艺术发展到登峰造极的地步。单纯的农民题材，似乎不能引起学院的关注，从人体入手，才真正动了学院主义的神经。在整个50年代和60年代，女裸体的表现（除了早期以外，他几乎不画男裸体）成了库尔贝的武器，从现实主义、古典主义到色情描绘，从形式到内容，他从人体艺术的各个方面与学院派对抗，直到70年代初的巴黎公社才结束。在这个过程中，1852年《浴女》显然处在最重要的位置，而摄影在其中又具有最重要的作用。在后来的《画室》中，库尔贝身后的那个裸女，就是《浴女》中的模特儿，库尔贝把她画在这儿，也是要强调"她"在他的艺术生涯中的重要意义。

《浴女》画于1853年，1852年在他的家乡奥尔南完成了一半，其他部分是在巴黎画的，周边的环境是典型的奥尔南风景，两个女人的动作仍然有学院的痕迹，似乎是先在画室摆出造型，然后再配上风景。裸体的女人刚刚沐浴完毕，着衣的女人则不知在干什么，似乎是裸体女人的陪衬。这显然不是一个现实的题材，与他其他的奥尔南题材大不一样，裸体似乎是他的目的。这件作品他是要提交给沙龙的，在动手作画之前，他就说过："下个展览我决定除了裸体，不交别的画。"库尔贝要画出和学院派不同的裸体，还要提交给沙龙，扰乱学院主义的秩序。尽管库尔贝在女人体的动作和肉体表面的处理上顺从了沙龙的要求，但《浴女》还是被沙龙拒绝了，用德拉克洛瓦的话来说，就是"形式的粗俗"与"思想的粗俗"，那个肥硕健壮的农妇般的裸体，与学院派的维纳斯有天壤之别。

《浴女》中的两个人物是在奥尔南画的，因为在保守的奥尔南不可能找到裸体模特儿，库尔贝画中的裸体都是来自摄影的模特儿。他的妹妹后来烧掉的那些"不雅"的照片，应该就包括了这批照片。库尔贝对照片的认识还不始于《浴女》，在此之前，他就画过弗兰什·孔代风景中的女裸体，这些裸体也是来自照片。对库尔贝来说，照片是他探索新的艺术语言的工具。照片提供的古典姿势意味着他保留了他对古典大师的忠诚，另一方面又摆脱了学院主义的理想美的束缚；极其自然的照片中的女人是一个"真实的"女人。早期的摄影与绘画的关系并不是一目了然的，不是艺术家为了创作寻找真实的模特儿，再通过摄影复制到作品。最早都是由摄影师把照片拍得像古典的绘画，由此像绘画一样参加沙龙的展览。模特儿摆出古典的动作，可以作为独立的摄影作品，也可以为艺术家服务，艺术家从中寻找古典的灵感，或通过照片校正古典的动作或比例。由于照片的复制技术接近版画，很多版画家参与了摄影的活动，受过学院训练的版画家很了解古典艺术的要求，他们选择合适的模特儿，按照希腊—罗马的样式摆出古典的动作，再拍成照片，完成一件"古典艺术"的摄影作品。问题在于，很多版画家并不把这样的照片作为独立的艺术作品，而是把它作为古典艺术的样本提供给油画家用于古典造型的参照。当然，版画家的行为是为了获取经济利益，但无形中导致照片的泛滥，艺术观念的"低下"。那些裸体的"古典"都是现实中"丑陋"的身体，真实的女裸体也会导致色情的联想。然而，库尔贝正是从这中间看到了"商机"，他要寻找的正是"丑陋"的身体，用以对抗学院的"理想"，而潜在的色情也是对社会规范的挑衅。丑陋总是和真实相联系，非理想的身体比例，肥硕臃肿的躯干，平庸的相貌，笨拙夸张的造型，等等，这些都毫无修饰地出现在照片中，同样也出现在库尔贝的作品中。1861年，帝国检查官琴德瑞没指名地攻击库尔贝："直到最近，在绘画领域，我们看到一种所谓学院的'现实主义'，以制度的名义违背美……取代意大利和希腊的美女，一些种族不明的女人令人遗憾地在塞纳河两岸留下了标记。"[12]

朱利叶·沃龙·德·维伦内夫（Julien Vallon de Villenve），学院派画家，19世纪20年代跟达维特学习绘画，1824年第一次参加沙龙展览。除油画外，他在大部分时间都是做版画。他和著名摄影家希波利特·巴亚尔（Hippolyte Bayard）关系密切，他们在40年代一起进行过改进制版的工作。沃龙为他的艺术家朋友提供照片，很多都是由演员装扮的各种形象，有老年的神父、穿各种服装的男子和东方服装的年轻女人。其中最引人注目的是女裸体。在沃龙使用的模特儿中，有一个模特儿年龄偏大（其他都在20岁以下），体形较胖，黑色头发：这个模特儿的照片有20张（现藏法国国家图书馆），不同的姿势，简朴的环境，有些是全裸体，有些披着白布。1955年，美术史家让·阿德赫马首先指出了沃龙的照片与库尔贝的《浴女》和《画室》中的女裸体的相似。他说："艺术家（沃龙）在四五十岁之间的1835年至1855年发表了这些模特儿中的两个人的形象，他的版画创作已经下滑，而转向摄影。他为库尔贝的《浴女》使用真实的模特儿起了作用。"不过没有直接的证据说明库尔贝是使用沃龙的照片，他们不是一代人，可能也不相识，作为古典艺术家的沃龙，也不在库尔贝的激进艺术的圈子里面。但有间接证据说明库尔贝使用的照片。库尔贝在给他的藏家、画廊老板阿弗雷德·布洛亚的信中谈到他的《画室》的构图："就此而言，他务必寄给我……我跟你说过的那张裸体女人的照片。她位于画中间我的椅子后面。"《画室》中库尔贝身后的那个女裸体与《浴女》中的背对画面的裸妇是同一个人。直到1873年，传记作家希尔韦斯特雷在给布洛亚的信中说："你给我的照片上的模特儿，库尔贝在《浴女》中用过，她叫亨里特·本尼昂（Henriette Bonnion）。我见过她按照你的照片为库尔贝摆动作。"沃龙的照片和库尔贝的《浴女》虽然用的是同一个人，动作、体形都很相似，但观念表现完全不同。沃龙柔和了女人体优美的轮廓，降低了明暗对比，减弱了阴影，好像有学院人体的平滑效果。库尔贝坚决反对这种学院的表现，毫不妥协地描绘了亨里特·本尼昂的物理事实：肥大的臀部、变形的丰满和上年纪的身躯。

库尔贝达到了他的目的，尽管一些批评家对作品的技术特征表示认可，但大部分人对这幅画难掩厌恶之情。漫不经心的动作、肮脏的脚和掉落的袜子都是污秽的象征，没有道德的表现。模特儿的体格违背了学院的标准，像是有意的冒犯。最客气的批评家戈蒂埃把"她"称为"霍屯顿（原始部落）的维纳斯"。但是，一个外省的年轻收藏家以3000金法郎买下了这幅画，他就是布洛亚（沃龙的本尼昂照片也是他的收藏），作品的丑闻已传到他的家乡蒙彼利埃，画幅的尺寸也完全不适合中产阶级家庭的布置，但他显示出和画家一样的勇气，他要确保库尔贝追求艺术真理的胜利，经济上的独立使他能摆脱官方的迫害和限制。

库尔贝的《浴女》没有选上当年的沙龙，而参加了落选沙龙，对于这个结果，库尔贝说，"要给有点惹人的屁股遮上点什么"。皇帝和皇后在开展之前来到沙龙，皇后的眼光被博纳尔的《马集市》所吸引，画中的马屁股对着外面，欧仁皇后问道，为什么它们的形状完全不同于她熟悉的那些优雅的动物。后来，她来到《浴女》面前，她用幽默的提问向皇帝表示她的迷惑："这也是一匹佩尔什马吗？"后来的传说是，波拿巴皇帝假装用他的马鞭抽打浴女的臀部。[13]

（原文发表于《美术研究》2013年第4期）

注释

[1] 彼得·伯克著，杨豫译，《图像证史》，北京大学出版社，2008年，第49页。

[2] 同上，第51页。

[3] Michael Baxandall, *Painting and Experience in 15th century Italy*, first published (1972), Oxford University Press, p.3.

[4] 《路易·波拿巴的雾月十八日》，《马克思恩格斯选集》第1卷。

[5] 李格尔著，陈平译，《罗马晚期的工艺美术》，湖南科学技术出版社，2001年，第37页。

[6] 弗兰西斯·弗兰契娜、查尔斯·哈里森编，张坚、王晓文译，《现代艺术和现代主义》，上海人民美术出版社，1988年，第23页。

[7] 同上，第25页。

[8] 琳达·诺克林著，刁筱华译，《现代生活的英雄》，广西师范大学出版社，第135页。

[9] Desplaces,in L' Union 29.From Gustave Courbet,The Metropo litan Museum of Art,New York.2008,p.36.

[10] 弗兰西斯·弗兰契娜、查尔斯·哈里森编，《现代艺术和现代主义》，第26页。

[11] Dominique de Font Reaulx, *Realism and Ambiguity in the Paintings of Gustave Courbet*. 原注：这4幅印刷品现藏巴黎国家艺术史学院图书馆，库尔贝在1854年1月给布洛亚的信中说："至于我，很高兴收到你的照片，我正给它们衬个底子。" From *Gustave Courbet*, The Metropo litan Museum of Art New York. 2008, p.38.

[12] Desplaces, in L' Union 29. From *Gustave Courbet*, p.343.

[13] 以上均参阅：*The Nude:Tradition Transgressed*. From *Gustave Courbet*, p.338-387.

作者简介

易英（1953— ），生于湖南。1985年毕业于中央美术学院美术史系，获硕士学位。现任中央美术学院教授，博士生导师，中央美术学院《世界美术》主编。

古典艺术最后的盛宴
——欧洲 19 世纪古典绘画的繁荣及其成因

李建群

发源于古希腊的西方古典艺术在文艺复兴时期得以进一步系统和完善，经过 17 世纪至 18 世纪的发展，在 19 世纪的欧洲学院进入异彩纷呈的繁荣时期，在西欧，尤其是英国和法国的学院产生了一大批遵循古典艺术传统，在写实技巧和古典理想美方面都达到至臻完美的美术作品。古典艺术的繁荣在英国尤为灿烂夺目。英国由于在古代远处于希腊罗马文化的边缘地区，古典文化的根基薄弱。加之 16 世纪初亨利八世的新教改革对文化艺术创作的冲击，导致文艺复兴在英国几乎无声无息。为什么在 19 世纪会突现古典艺术的繁荣，古希腊奥林匹斯山上的众神又怎么会垂爱英国呢？这要从维多利亚这个特殊的时代说起。1837 年维多利亚女王继位，从此开始了英国历史上有名的维多利亚统治时期 (1837—1901)，在这个时代，大英帝国的版图辽阔，它的殖民地遍布全世界，号称"日不落大帝国"，源源不断从殖民地流入到宗主国的财富似乎属于世界永恒秩序的一部分，因此，维多利亚时代看来是一个充满了机会的时代，一个自信的时代，人人都有"远大的前程"。

维多利亚从 1837 年到 1901 年的长期统治正处于一个人口和工业不断膨胀的时期。那时，国内和平，中产阶级兴起，人们的自信逐渐引导着绘画的繁荣。这个时期见证了大量艺术作品的出现。公众成群结队地去看画展，富有的公民收藏了大量艺术作品。画家变得富有，他们获得了荣誉，拥有了爵士头衔，进入了贵族以及更高的社会圈子。维多利亚从没有怀疑过他们的艺术成就。许多艺术家感到，他们的创造力达到了成熟的阶段，可以与任何先前的伟大艺术时期相比较；将米莱斯、瓦茨和莱顿与提香、米开朗基罗和拉斐尔相媲美，他们认为这并非无礼或是夸大。这样一个新财富的蒸汽弥漫的时代，为古典主义艺术的繁荣提供了一个合适的温床。对古典主义的繁荣产生了决定性影响的是埃尔金伯爵 19 世纪初从雅典探险运回英国的巴底农神庙东西山墙的大理石高浮雕。这批浮雕在 1816 年由英国国家收购，并陈列于大英博物馆。巴底农神庙是古希腊时期的杰出雕塑家菲迪亚斯和他的弟子们在雅典卫城设计制作的，神庙的建筑和雕刻的每一个细节都呈现出惊人的美，堪称古典艺术的典范之作。东西山墙上的浮雕塑造了完美的奥林匹斯山众神，由于当时希腊的统治者——奥斯曼土耳其苏丹的愚昧和英国殖民者的掠夺成性，这些神像被运到了英国。这些古典浮雕杰作在英国美术界和文化界产生了如同雷击一般的影响。当时的国会为是否由国家收购这些艺术品而成立了一个委员会，在这个委员会的调查报告中认为，与艺术的永恒魅力相比，那些广大帝国和强大征服者的业绩和荣耀是多么短暂易逝。皇家美术学院院士本杰明·海顿 (1786—1846) 从这些雕塑残片上看到了精确的解剖知识和完美的艺术表现后几乎为之疯狂，他预言："它们最终会唤醒在黑暗中沉睡的欧洲艺术。"他的老师、皇家美术学院院长弗塞利 (1741—1823) 参观了这些雕塑之后大呼："希腊人简直就是神啊！"诗人济慈为之赋诗："你应当注意那座东方神庙里的那些西方人心中的明星，去敬拜它们吧！"皇家学院的院士们纷纷来临摹这些石雕，随之而来的是一场经久不衰的复古热潮，不仅是艺术界，而且波及到时装和体育界。

1855 年，未来的皇家美术学院院长、年轻的弗里德里克·莱顿（1830—1896）展览了《契马布埃著名的圣母玛利亚走在游行队伍中，穿过佛罗伦萨的街道》。这是他的第一次巨大的

瓦茨，《希望》，布面油彩，1885 年 -1886 年

约翰·沃特豪斯，《春之歌》，布面油彩，1913 年

莱顿,《克琳娜·达格尔的宁芙女神》,布面油彩,1880年

成功,这个题材表明了文艺复兴时期的佛罗伦萨绘画具有很高的地位,画家契马布埃以一种英雄的姿态出现于这个时期。这幅作品的深刻含义是对维多利亚下英国的一个隐喻。莱顿画中的含义说明,艺术与艺术家应该占领当时社会中一个类似于荣耀的位置,英国将迎来古典艺术的复兴。莱顿就是通过海顿的《自传与日记》感染到对古希腊艺术的崇拜,而他自己也成为古典美术在英国复兴的重要代表人物。

莱顿出生于一个英国贵族家庭,他的祖父曾任俄国沙皇的御医。他的家庭因为母亲的健康状况而过着适时迁居、在国外旅行的生活。这种富有和旅行的生活使莱顿从小在欧洲各国生活,很小就能讲流利的法语、意大利语、德语,并掌握了拉丁文和希腊文,还在历史、古希腊罗马经典、数学、绘画、雕刻、建筑等方面都受过很好的训练。14岁就进入佛罗伦萨美术学院学习,以后又在德国师从拉撒勒画派,在罗马和巴黎学习绘画,22岁时就在罗马完成了巨作《契马布埃》。这一作品标志着他的艺术生涯的开始,也展示了他的学识和艺术方向。维多利亚女王在展出的第一天以600金币的高价买下了这幅作品,使他的名气猛然上升。这一作品的中央是戴着桂冠的契马布埃和弟子乔托,但丁站在画面的右下角。这种对文艺复兴意大利的回顾源自对希腊古典艺术的热爱,在一生的创作中,他完成了无数古希腊题材的作品。在同时代小说家、诗人白朗宁的诗歌中,所描述的莱顿是一位天神般的人物:相貌英俊,举止优雅,用熟练的技巧描绘神秘朦胧的光影和薄雾般的长袍下希腊雕塑般的女人体。他终身未娶,只与绘画结婚,他的女人体却是那么完美。他是从纯审美的角度来审视肉体,他所崇拜的不是女人肉体的完美,而是艺术创造的完美,他的画笔给身材瘦削的模特添上圆润的轮廓,去掉过于丰腴的模特身上的赘肉,把不甚完美的模特变成符合理想比例标准的人体。他认为,古希腊人能用大理石把女人塑造得美丽无比,而古希腊人的东方气质,则使他们把雕塑的女人与日常生活中的女人分开,这就是希腊人的超脱。

19世纪的70年代和80年代,那是古典主义思潮复兴的金色年代。莱顿在伦敦的肯辛顿区建造了他那富丽堂皇的古典风格的府邸吸引了无数艺术家和社会名流,许多崇尚古典主义的艺术家也在附近定居,形成了"肯辛顿的奥林匹斯山"。1878年,莱顿被选为皇家美术学院院长,此后,他在这个位置工作了十六年。1884年,皇家研究院的新大楼在皮卡蒂利大街落成,在落成典礼上,画家罗赛蒂、莱顿、阿尔马-塔德玛等著名艺术家分别化妆成古代诗人或神祇出席化妆舞会。1885年,参加皇家美术学院化妆舞会的英国少女化妆成古希腊少女,她们身上的服装与菲迪亚斯的雕塑毫无区别……在这样的思潮中,出现了一大批具有古典主义风格的艺术家。

与莱顿关系密切的学院派画家瓦茨的绘画更倾向于玄奥而缥缈的主题。他的著名作品是《希望》,描绘了一个被蒙着双眼的人抱着七弦琴坐在地球上弹奏。艳丽而清冷的色调中浮现一丝暖色的夕阳的光辉,人物的身材具有男女双重特征,无法辨认性别,人物的服装也看不出属于任何时代。这个被蒙着双眼的人虽然眼前什么也看不到,而且琴弦已断,只剩下最后一根,但他却还坚持在弹奏着最后一线希望之弦。他表现了一种绝境中的微茫的希望,这也许正是维多利亚后期危机四伏的英国社会的一种潜在的消极情绪的表现。

同时期还有一个值得注意的画家，他的作品流传最广，复制得最多，而且价格最高，是维多利亚时代最能够反映当时时代特点的画家，他就是劳伦斯·阿尔玛-塔德玛（1836—1912）。

阿尔玛-塔德玛是荷兰人，出生于弗兰德斯一位公证人的家庭，自幼学习绘画，曾在安特卫普学院学习。早年曾沉湎于古埃及和古罗马的遗物，热衷于表现古代题材。1869年，他移居伦敦，在皇家学院展出自己的作品《希腊出征舞》。他在伦敦的声誉和事业如日中天，1876年他成为皇家学院的准院士，1879年成为院士。1882年，格罗夫纳美术馆展出了他的287件作品，使他成为英国最著名的画家。

莱顿，《海边捡卵石的希腊少女》，布面油彩，1871年

阿尔玛-塔德玛擅长于用古典的技巧描绘当时英国上流社会的生活，轻松舒适，充满着温馨之情。他以华美而艳丽的色彩迎合了英国人的心理，他的裸体美而不淫，艳而不俗。他的作品大多是阳光充足，闪光的大理石反射着耀眼的光芒。他从不使用上光油或光漆，而是在白色画布上敷设暗色，使画面上具有惊人的亮度。他善于表现皮毛、羽毛等各种材料的质感，尤其是善于表现大理石的质感。伯恩·琼斯曾写到，"在表现阳光照射在金属和大理石上的效果方面，还没有人能与阿尔玛-塔德玛媲美"。同时，阿尔玛-塔德玛也是一个严谨的历史画家，为了能精确地描绘历史故事场面，他曾经拜著名的考古学家路易·德·泰依为师，希望做一个艺术家兼考古学家。他在罗马和那不勒斯的博物馆里不但见到了古代雕塑，而且见到了古人用过的日常器皿，他从这些实物中获得了创作灵感。在那个崇尚古典和怀旧的年代，人们都渴望去古代遗址旅行。18世纪下半期，被火山爆发掩埋的古罗马城市庞贝和赫库兰尼姆城遗迹又被发掘出来，这一发现唤起了西方世界的"考古热"，一时间，前往欧洲大陆和地中海地区作考古和冒险旅游的英国人形成了"东方旅游潮"，表现古代题材的艺术作品也成为人们追逐的热门。阿尔玛-塔德玛创作了大量古代希腊罗马题材的绘画，以他特有的华美和精确把古代世界转变成资产者的世界，把古希腊罗马通俗化，从遥远时代的古典场景中归纳出道德寓意，赋予华丽的场面以深长的意味。

阿尔玛-塔德玛，《怅然远望》，布面油彩，1897年

《埃拉加巴卢斯的玫瑰》是他最著名也很特别的一件作品，表现了一个古罗马变态的君主，他在位的时间很短，但却以政治腐败、残忍、奢华和纵欲无度而著称，他在一个顶棚可以翻转的宴会厅里，用铺天盖地的玫瑰花瓣将他的客人窒息致死。为了完成这件巨大的作品，他在创作该画的四个月里大量采购玫瑰花，从利维里亚运往他在伦敦的画室。在画中，他以大量的玫瑰花瓣充斥画面，造成极其豪华的视觉效果。画面中央的暴君海里阿加普鲁斯衣着华丽，他的形象不是虚构的，画家是根据他在罗马的卡普托里奥博物馆看到的海里阿加普鲁斯肖像来刻画的。这种华丽与死亡、玫瑰与血腥的题材反映出罗马的堕落，也折射出维多利亚社会奢华的放纵。

阿尔玛-塔德玛，《埃拉加巴卢斯的玫瑰》，布面油彩，1888年

《微温浴室》是他重要的代表作之一。在这里，他把现代的女裸体放到古罗马式的浴室中。裸体的女子躺在古罗马式的大理石床上，手持羽毛的扇子，闪光的大理石床榻上铺放着野兽的皮毛。温暖的女性肉体、茸茸的羽毛、松软的野兽皮毛和闪光的大理石质感构成奇妙的对比。画面明亮，充满阳光，裸体的人物由于羽毛扇子的装点得以恰到好处地掩盖，使女人体的展示显得美丽而不失文雅。尽管裸体的刻画如同照片一样真实，却丝毫没有令人不愉快的色情和污秽。由于他多次到埃及、罗马的庞贝、雅典等地旅行和考察古迹，他在伦敦的家里也装饰得如同庞贝城的风格。他的绘画中也显示出对古代文化的向往，并热衷于表现虚构的古代场面，反映了维多利亚时代对古希腊罗马文化的热爱。他的绘画形象地再现了维多利亚盛期

阿尔伯特·摩尔，《四重奏，一个画家对音乐艺术的赞颂》，布面油彩，1868年

的生活时尚。

阿尔伯特·约瑟夫·摩尔是一个具有唯美主义倾向的古典主义画家，他把古典传统与唯美主义结合在一起，他对美的理想的崇尚以古希腊为基础，但又具有兼收并蓄的风格。如果说巴底农神庙给了他形式，那么19世纪风靡欧洲的日本绘画就给了他色彩，那色彩柔和而丰富，是淡橙色、旧金色与青绿色的交织。他追求的是古希腊式的典雅明净。他的《夏夜》描绘了倦怠的妇女，她们有着古希腊雕塑般的端庄美丽，身穿古希腊的服装，半裸着身体，或坐或卧，或是悠然梳妆，悠闲而懒散，她们与夏夜的环境一起产生一种幽雅的气氛，如梦的性欲和基于构图的美感。他的色彩不像莱顿那样华美，但却具有独特性和整体的和谐，如同一幅久远的古典图画，唤起人们对希腊的怀古情调。

《四重奏：一个画家对音乐艺术的赞颂》又一次展现了埃尔金雕塑的影响，他画的每一条衣纹都证明了古典艺术的影响。以完美而典雅的古典人体表现音乐的美。在寻求音乐与美术之间的联想的同时，把沃尔特·佩特称之为"音乐的特性"的东西用绘画的方式表现了出来。有趣的是，他让穿着古希腊服装的乐师弹奏现代乐器，这说明：虽然他选择了以古典为描绘对象，但他的精神却依然属于自己的时代。和这个运动有关的还有约翰·沃特豪斯(1849—1917)，有的认为他是新古典主义画家，也有的书上把他列为维多利亚晚期的浪漫主义画家。他的作品具有莱顿的那种感伤的美，但又像拉斐尔前派艺术一样具有文学情节。所以，他应该算一个边缘人物。他画了大量具有唯美特点的神话人物，大多是女性。他还在世时就获得了巨大的成功，他的绘画在英国被复制成大量的印刷品，传播到整个欧洲，直到今天仍然是热销的。

《夏洛特夫人》故事来自丁尼生诗歌。亚瑟王的王后夏洛特夫人与兰斯洛爵士相爱。但神把她困在城堡里，用魔法将她罩住。在一间神秘的屋子里，她只能通过一面镜子的反射来观察屋外的情景。去喀麦罗的路上和流经此地的小河，每天都有人经过，但只要她向镜子里看，便会有灾难降临。一天，她从镜子里看到兰斯罗爵士骑马经过，便不由自主地转身去看。而此时，身后的镜子正噼啪地爆裂，缠绕她的魔网正在勒紧。故事的结尾是她被魔法驱使驾着小船向死亡驶去，面容消瘦而憔悴。《西拉斯与林芙》中的西拉斯是古希腊神话中赫拉克勒斯的朋友和侍从，随赫拉克勒斯参加远征，在路上，他到泉边饮水，被泉水女神迷惑。这里表现了七位仙女从水中探出身来，其中一位还去拉他的手。《纳西修斯与林芙》刻画的是希腊神话中的美男子纳西修斯。纳西修斯爱自己而不能自拔，每天到水边照影自怜。水泽仙女对他产生了爱慕，他都不理会。纳西修斯最后投入水中自尽，化成了水仙，他的名字Narcissus在英文和拉丁文中也就是"水仙"，这是人类自恋的最早记录。

这些美丽的画面灵感源自古希腊，其作品精神却属于维多利亚时代。它们是英国化了的古典美。

从当今的角度看，带有怀旧色彩的古典主义在维多利亚时代的繁荣是因为其特殊的条件：那是英国最富裕的时代，在残酷的原始资本积累中迅速暴富的富人们十分渴望从严酷的现实逃避到另一个世界，即令人愉悦的古代。它既保留着"文化"的奥秘，也迎合了富人们对贵族社会的怀旧情绪，因此它在当时大受富裕的中产阶级欢迎，赢得了艺术史上最充裕的赞助，古典主义画家成为维多利亚时代最成功的人群。古典文化使历来有"野蛮"之称的英国美术具有了"精雅"的风格，它让穷人也被赋予堂堂的仪表和高贵的气质，给现实带来些许的快慰。正是由于维多利亚时代古典艺术的黄金时代，使英国艺术在世界美术史上逐渐摆脱粗糙的旧貌。

在西方美术史中，不止一次地出现过从古代世界吸取灵感的热潮，而 19 世纪下半期的英国古典主义应该算是欧洲世界对古代的最后一顾——在同一时期的法国，印象主义的眩目阳光带着现代文明的喧嚣和反叛打破了学院的冰冷和僵硬。所以 19 世纪古典艺术的繁荣也可以比喻为西方传统艺术最壮丽的夕阳，也可以说是一场古典艺术最后的盛宴。说它是盛宴，因为这一时期的大量艺术杰作将古典艺术理想以接近于考古一般真实的模仿古希腊的、最壮丽和华美的形式表现出来；说它是最后的，因为在它的绚烂和壮丽下面却蕴藏着古典艺术盛极而衰的无奈。无论如何，这一时期的艺术作品留给后人的是一场极其奢华的视觉享受。

（原文发表于《美术》2008 年第 1 期）

作者简介

李建群（1955—　），生于湖南。1987 年毕业于中央美术学院人文学院美术史系，获硕士学位，毕业后留校任教。现任中央美术学院教授、博士生导师。

身体策略与社会政治
——西方当代身体艺术谱系

邵亦杨

伊夫·克兰,《飞往虚空》,黑白照片

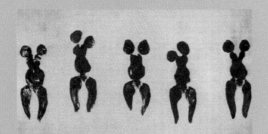

伊夫·克兰,《人体测量学》,1960年

伊娃·海瑟,《挂断》(有观众在作品前观看),装置

吉尔伯特和乔治,《歌唱的雕塑》,1969年

身体是一个多重意义的符号,隐藏在历史、政治、社会等各个领域。自20世纪下半期以来,身体艺术在当代艺术占据了重要位置,身体问题成为当代艺术创作、理论和批评的一个重要部分,主要表现在表演艺术、行为艺术、极少艺术和观念艺术中,这些艺术的表达方式相互交叉,又与性别、种族、阶级等问题交织在一起,体现了人对自身更深入的思考,对17世纪白迪卡尔以来的西方理性主义哲学中身体/心灵二元对立论提出了质疑和挑战。

行动中的身体

从二战之后,西方艺术的美学意义受到质疑,激烈的艺术实践不断地冲击着现代主义的边界。与行为表演相关的身体艺术兴起于60年代,由于身体艺术的展示范围不再像传统艺术材料和媒介那样受时空、地域、文化和表现方式的制约,艺术家用身体表现的精神内涵也更加自由。身体艺术源于20世纪10年代末末达达主义诗歌的即兴表演。与身体相关的行为表演自50年代起就已经体现在各种不同的艺术派别之中。比如抽象表现主义杰克森·波洛克(Jackson Pollock)的行动绘画、激浪运动艺术家约翰·凯奇(John Cage)的无声音乐表演和艾伦·卡普罗(Allan Kaprow)的偶发艺术都表现了身体的运动。

法国艺术家伊夫·克兰(Yves Klein,1928—1962)是创作身体艺术的一位先驱,他的《飞往虚空》(Leap into the Void,1960)以自己的身体为媒介,表达了一种彻底放弃物质现实,奔向无限自由的浪漫主义情怀。克兰还把女性模特当作"活动的画笔"来创作。他指挥模特们在裸露的身体上大面积地涂抹他发明的专利蓝色油彩——"国际克兰蓝"(International Klein Blue),在演奏单音交响乐(一个音符持续20分钟)的乐队和喝着蓝色鸡尾酒的观众面前表演,在大幅的画纸上滚动。用这种方式,克兰希望把这些美丽的裸体模特在身体表演过程中的瞬间动态转换为永恒的艺术形式。50、60年代的前卫艺术家在作品中对于空间、物质和能量的探讨与当时美、苏之间的太空竞赛有关。克兰在身体行为中试图把物质在空间中的运动带入到过去被认为是静止的视觉艺术之中。

女艺术家小野洋子(Yoko Ono)以自己的身体为艺术媒介。她最著名的一次行为艺术表演是1965年在纽约卡耐基音乐厅举行的《剪碎衣服》(Cut Piece)。洋子一动不动地端坐在舞台上,请观众们上台一片一片地剪掉她的衣服,直到衣服全部从她身上滑落为止。在英文中,碎片(piece)与和平(peace)同音,剪碎衣服意味着破坏和平。小野洋子的身体表演暴露了人与人之间侵犯和被侵犯、暴虐和受虐的过程,揭示了人类社会行为中侵犯、暴力的倾向对人的自然天性的伤害。受到萨特的存在主义理论影响,小野洋子的行为艺术作品经常用自己天然、无辜、柔弱的身体表现人类生存的痛苦、孤独和脆弱。而这件作品创作于美国入侵越南期间,更多地表现了艺术家对暴力的揭露与对和平的祈祷。

克兰和小野洋子的身体艺术依然刻意地保存了美学意义,而此后的身体艺术更强烈地追求社会政治意义,甚至出现了反美学、反文化的倾向。吉尔伯特和乔治(Gilbert &

George) 不仅把自己的身体临时性地用在艺术创作中，而且把生活本身也当作了艺术。他们创造了行动雕塑这种形式。在《歌唱的雕塑》(The Singing Sculpture,1969) 这个著名的行为表演中，他们穿着正式的西服革履，脸上涂着古铜的油彩，仿佛铜雕一样站在桌子上，边演边唱弗拉那根 (Flanagan) 和艾伦 (Allen) 的著名歌曲《在拱门下》(Underneath the Arches)。这首战前英国流行的民谣描述了大萧条时期睡在大桥下的无家可归者，令人感受到社会边缘艰难却又乐观的生活。吉尔伯特和乔治朴素又带些滑稽的表演与一板正经的绅士装扮形成了鲜明对比，令人联想到英国社会等级间的差异，同时，他们人性化的表演又为不同社会等级的人之间建立起了沟通的桥梁。

以杜尚的《泉》为参照，美国艺术家布鲁斯·诺曼 (Bruce Nauman) 创作了《作为泉的自画像》(SelfPortrait as a Fountain, 1966—1970)。从照片看，他裸露着上身，从嘴里吐出水珠，以自己的身体做出喷泉的姿态。杜尚用小便池讽刺了在工业机械化时代传统艺术创作源泉的枯竭，而布鲁斯·诺曼则用自己的作品表明，艺术家的身体本身就是创作的源泉。这也是身体创作的根本意义：艺术家不仅仅是创作者，也是创作的对象和艺术本身。在他后来的照相和摄影作品中，布鲁斯·诺曼记录了一系列压迫自己身体的自虐行为，比如拉嘴唇、面颊，抠眼睛、鼻子和耳朵。

在挑战身体极限的行为艺术中，活跃于 20 世纪六七十年代的维也纳行动派 (Vienna Actionists) 艺术家以暴虐的身体艺术和行为表演著称。奥托·穆尔 (Otto Muehl) 曾在行为艺术中大量使用动物内脏和排泄物。布鲁斯 (Gunter Brus) 让人在他身上大小便，并将尿液或痰吐到他嘴里，以展示这个垃圾化世界的肮脏。史瓦兹科格勒 (Rudolf Schwarzkogler) 曾展示过一寸寸地连续切割自己的阳具的照片，据说，1969 年他最终跳楼为自己的艺术殉难。[1] 赫曼·尼什 (Hermann Nitsch) 用仪式化的方式展示了动物的尸体、内脏和鲜血。另外，他还把行为艺术过程中所用的沾满血腥的白布和绷带用在了绘画创作之中。

身处二战后奥地利社会压抑的政治气氛之中，维也纳行动派用极端恐怖的身体艺术强烈地批判了自己民族文化历史独裁的天主教会和纳粹主义的罪恶，他们深受法国戏剧理论家安东尼·阿尔托 (Antonin Artaud) 所提出的 "残酷的剧场" (Theatre of Cruelty) 理论影响。阿尔托的所谓 "残酷"，是一种令人身陷于某种野性的、超于理性意识的表演模式，在一个原本无比熟悉的情形下，观众心灵中的某个空间被一束奇异的光芒打开了。[2] 在 1938 年的著作《剧场和它的复像》(The Theatre and Its Double) 中，阿尔托解释了残酷剧场理论，他呼吁建立一种发泄式的剧场，替代传统的、理性的、精英、抑制人的情绪感受的传统艺术剧场，以巫术祭祀的仪式化方式把声音和身体的动作发展到极致，使观众经历一种犹如精神启蒙的极限体验。

受残酷剧场理论的影响，20 世纪 70 年代更多的艺术家用行为表演的方式强烈地挑战自己身体和心理的极限。美国艺术家维托·阿孔齐 (Vito Acconci) 在《商标》(Trademark, 1970) 中，他不断地咬自己的身体，留下深深的牙印。在《脚步》中，他不停地对着一个凳子走上走下，以每分钟 30 步的节奏直到精疲力竭为止。1972 年，阿孔齐创作了具有争议的作品《精子床》。他在纽约的索纳本德画廊 (Sonnahend Callery) 用木板建了一个斜坡道，此后他每周 3 天，每天 8 小时躲在这个木板下手淫，幻想与走过他头顶上的参观者沟通，并且通过画廊里的麦克风放大自己发出的声音，希望与观众建立起一种像情侣一样亲密的关系。阿孔齐希望通过这件作品打破艺术家与观众的界线，以及商业体制下人们之间的精神疏离。在美国，类似的残酷对待自己身体的行为艺术表演还有艺术家克里

唐纳德·贾德，《无题》，铜，10 个单元

朱迪·芝加哥，《晚餐、陶瓷、纺织品》

林璎，《越战纪念碑》，1981 年 -1983 年，华盛顿

森万里子，《和我一起玩儿》，1994 年

布鲁斯·诺曼,《作为泉的自画像》

布鲁斯·诺曼,《抠眼睛、鼻子、耳朵》

奇奇·史密斯,《无题》,1990年

小野洋子,《剪碎衣服》,1965年

布鲁斯·诺曼,《全息图系列研究》

斯·博顿 (Chris Burden) 的作品。他曾在布满玻璃渣滓的地上爬行,把自己钉在车上,甚至让人在画廊里向自己开枪,左臂中弹受伤。在70年代资本主义后期,同时也是冷战的高潮时期,美国的艺术家们用自己的血肉之躯向以资本为中心的、冷漠的、压抑人性的社会制度提出了最强烈的抗议。马克思主义理论家威廉姆斯 (Ravmond Williams) 认为,与超现实主义一样,残酷剧场的实践者是资本主义社会中真正的持不同政见者,他们用性解放、释放梦想、疯狂的方式,拒绝日常生活中主导性的、通常用于掩饰的、规范的语言形式,彻底打破了资产阶级社会的文化艺术形式。[3]

塞尔维亚出生的玛莉娜·阿布拉莫维琪 (Marina Abramovic) 是最早不断地挑战自己身体和精神极限的女艺术家之一,她借助痛苦、危险和精疲力竭的体验寻求情感和精神的超越。《韵律系列》(Rhythms) 是她在20世纪70年代的代表作。阿布拉莫维琪的第一场表演《韵律10》(1973),也被称为俄罗斯游戏。艺术家摆放出二十把式样不同的短刀,任意取出一把飞快地在指缝间用力剁下去,在被刺伤之后立刻换上另一把短刀,重复前面的动作,在重复到第二十次时,艺术家播放之前的录像,并以短刀在桌面敲打的轻快旋律作为作品的题目。《韵律2》(1974) 分为两个部分,在第一部分中,艺术家服用抗肌肉瘫痪药物,在大脑完全清醒的状态下,观察自己无法控制的身体所产生的剧烈反应。在身体痉挛过后,艺术家进入第二部分的身体实验,她服用减缓肢体运动的抗抑郁药物。与前一部分相反,艺术家身体虽然在场,但完全失去了意识,陷入昏迷之中。以自己的身体作实验,艺术家探索了身体与精神之间关系。在《韵律5》(1974) 中,艺术家在自己的腹部刻下五角星的痕迹,然后躺在地上燃烧的木质五角星中,最后由于缺氧失去知觉而被观众救助。在《韵律0》(1974) 中,艺术家在房间内贴出告示,准许观众随意挑选桌上的七十二种物件与艺术家进行强迫性身体接触。在这七十二件物品中,有玫瑰、蜂蜜等令人愉快的东西,也有剪刀、匕首、十字弓、灌肠器等危险性的器物,其中甚至有一把装有一颗子弹的手枪。在整个表演过程中,阿布拉莫维琪把自己麻醉后静坐,让观众掌握所有权力。表演持续了六小时,阿布拉莫维琪的衣物全部被剪掉,有人用带刺的玫瑰扎入她的腹部,有人甚至把手枪放到了她的嘴巴里准备开枪,这是艺术家最接近死亡的一次身体体验。玛莉娜·阿布拉莫维琪强调自己的艺术与女性主义无关,但是承认她的艺术与经历过的暴力与强权有关。[4]她的父母是南斯拉夫的军人,而祖母信仰东正教。在她的成长经历中,受过意识形态和宗教的严格控制,因此她的所有作品都在表现某些强加于人的所谓的信仰对人性的压抑,探索个人的肉体和精神存在的自由。

女艺术家卡洛琳·史尼曼 (Carolee Schneemann) 的身体艺术表演《肉的快乐》(Meat Joy, 1964) 是对阿尔托式残酷剧场理论的一次重要实践。在舞台上,一群穿着紧身比基尼的男女演员在塑料单子上扭动翻滚,同时把鱼、鸡、香肠等各种混合着油彩的生肉扔到对方身体上。整个表演融合了视觉、听见、味觉、触觉等所有感官刺激,充满了肉欲的快感,既令人兴奋又令人恶心。这场表演不仅是对传统艺术形式的反叛,也不仅仅是女性主义对男权的反叛,而且是对人类肉体自身的庆典,表达了生命的激情和行动的自由。

卡洛琳·史尼曼还曾在1975年和1977年两次表演身体艺术《内在卷轴》(Interior Scroll),表达了一个女性主义者的最强烈态度。[5]在表演中,卡洛琳·史尼曼裸体站在桌子上,在身上和脸上涂上深色的油彩。接着,她摆出模特的姿态,大声朗读一本名为《塞尚,她是一位伟大的女画家》(Cezanne, She Was A Great Painter) 的书。随后,她扔掉手中的书,慢慢地从自己的阴道中抽出一条约十英尺长的纸卷,并大声地朗读卷轴上的文字。这些文字讽刺了所谓女性的直觉与男性的理性对比。[6]通过打破社会道德禁忌的身体表演，卡洛琳·史尼曼充满激情地表达了一个女性主义者的愤怒和抗议。

汉娜·维克 (Hannah Wilke) 在 1975 年《S.O.S. 明星化物体系列》(*S.O.S. Starification Object Series*) 的行为艺术表演中，把口香糖发送给观众，然后向观众要刚嚼过的口香糖，把它们捏塑成阴唇的造型，再把这些口香糖制成的小雕塑粘贴在自己裸露的上半身上。这些粘贴到身上的秽物象征着伤疤，与汉娜·维克摆出的封面女郎的姿态形成了鲜明对比，讽刺了女性在时尚消费文化中所受到的伤害。

70 年代末，法国哲学家德里达 (Jacques Derrida) 的 "在场 (Presence)" 和 "形而上学" 论是阐释身体艺术理论的关键。[7]德里达深受阿尔托的影响，他沿着阿尔托的理论轨迹，在探索声音、身体、写作乃至整个 "文明" 自身崩溃的可能性上发展出解构主义理论。他把阿尔托式残酷剧场中的尖叫带回到身体，来质疑语言、艺术的最初根源和他们的具体化实现，提出 "阿尔托承诺的演说存于身体，身体之中是剧场，剧场之中是文本，这种文本不再屈从于过去古老的写作，它是一种不合以往规范的文本或者演说"[8]。在德里达的理论影响下，以身体为中心的行为艺术很容易被认为是在场的形而上学，代表着身体的 "在场" 可以超越所有的符号、象征、寓意的渴望，直接进入事物的本质，但是，以身体取代文本的艺术实践又有可能会滑入新的本质主义。因此女性主义艺术家玛丽亚·凯莉 (Mary Kelly) 警告说："行为艺术的 '在场' 有可能变成另一种本质主义的、非此即彼的二元对立论。" 她在 1981 年的论文《回顾现代主义批评》(*Reviewing Modernist Criticism*) 中，批评了以身体为中心的行为艺术："行为作品不再是艺术性地呈现对象的问题，随着艺术家本人被呈现，创造主体让位于一种本质性的自我拥有的效应。"[9]这种批评并不是孤立的，20 世纪 80 年代英国和美国的女性主义出现了普遍性的反本质主义潮流。受到女性电影理论家劳拉·莫维 Laura Mulvey) 的《视觉快感和叙事电影》(*Visual Pleasure and Narrative Cinema*) 的影响，反本质主义的女性主义批评关注在现代和当代视觉文化中的凝视角度的性别建构问题，在这种建构中，女性系统性地处于被看的地位，而与之相对应的是男性观众观看的角色。[10]在劳拉·莫维之后，受到心理分析学和后结构主义理论启发的后女性主义者十分警惕女性身体和性器官的暴露，他们更倾向于以前卫的疏离态度反对庸俗化的视觉快感和图像引诱。

隐形的肉身

60 年代中期，与火热的行为艺术同时兴起的是与之相反的冰冷的极少主义。极少主义者强调艺术的客观性和具体的实在感和可触感，把艺术家的个人表达降至最低，反对再现或象征的意义，比如以唐纳德·贾德 (Donald Judd) 和罗伯特·莫里斯 (Robert Morris) 为代表的极少主义作品呈现为单一的、纯粹的、不可分割的、非幻觉的、非主观化的物体。虽然行为艺术与极少主义在表达形式上看似截然相反，但是它们在内在追求上却有相同之处，比如它们同样探索了人的身体感受和心理体验。极少主义深受现象学影响，特别是莫里斯·梅洛-庞蒂 (Maurice Merleau Pontv) 的感知现象学影响。从感知研究出发，梅洛-庞蒂认识到人的肉身不只是客观存在的事物、科学研究的对象，而且是一种体验的永恒条件，一种感知外在世界的结构。他因此强调身体固有的知觉性。感知首先意味着体验，也就是说，感知是一种积极主动和建构性的维度。梅洛-庞蒂展示了一种感知肉身和身体的目的性，因此区别于迪卡尔的身体和心灵二元对立论。他特别强调人类有意识的视觉经验和身体体验在获取知

罗伯特·戈贝尔，《无题》，1990 年

罗恩·穆克，《面具之二》（自雕头像），多媒体，2001 年 -2002 年

草间弥生，《镜子屋的无限性——永远的爱》，1966 年

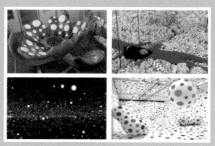

草间弥生的四幅图像

达米安·赫斯特，《为了上帝的爱》

马修·巴尼在"悬丝"中的形象

马克·奎恩，《艾莉森·拉珀尔怀孕像》，2005年

识中的作用，将"先验自我"最终还原到了身体的感知上，也就是"先于任何判断的感觉事物自身的意义"上。[11]在《交织—交叉》(The Intertwining- the Chiasm) 这篇论文中，梅洛-庞蒂假设"肉体"是沟通观众和他所见的客观物象之间关系的观念性基础。他写道："（世界和我自身的）肉体是一种归还于自身并且确认于自身的结构。我永远也看不见自己的视网膜，但是我可以肯定人们在我的眼球底下可以发现那个神秘的薄膜，最后，我相信了它——我相信我具有了一个人的感知，一个人的身体——因为这个世界的景观是我自己的……显然参照了典型的视觉可见性的维度。"[12]梅洛-庞蒂用"这个世界的景观是我自己的"指出自己的肉身是连接观众和图像的关键所在。这种说法阐明了某种艺术方式有可能通过人的肉身，把观众、景观和物质客体结合在一起。当极少主义者把物质客体呈现在观众眼前时，他们期待观众对于这个物质客体进行美学上的沉思。极少主义作品自身并没有意义，它们的意义依赖于观众在此时此刻的客观体验。当观众沉浸于对物观察体验之中时，他们的身体和心灵逐渐在主观体验中合二为一。在这个过程中，人性的温度并没有在看似冷漠的极少主义艺术作品中消除。比如唐纳德·贾德的系列性的、重复出现的抽象形式语言有可能令人体验到具有普遍意义的、平等的美学价值和社会理念，而理查德·塞拉 (Richard Serra) 大面积的、蜿蜒的钢铁墙面会令人感到自身的脆弱。

由于强调观众观察的时间和体验的深度，极少主义艺术开始与坚持本质意义、缺少持续性的现代主义美学理论分道扬镳，而女性对极少主义的介入更彻底地改变了现代主义强硬的、单一的男性化特征。女艺术家伊娃·海瑟 (Eva Hesse) 的《挂断》(Hang Up, 1966) 有着明显的肉体隐喻。这件矩形框架形的作品挂在画廊的墙壁上仿佛是一个画框，中间却令人瞩目地空着，没有任何可见的画作，连接着框架上下两端的钢管一直垂落到地上。钢管和框架都被包裹在布里，如同挂断的电话线，又像是病人的绷带，或是为身体的循环输送液体的管道。而题目"Hang Up"这个英文词汇，既有挂起作品的意思，也有挂断电话或是心理障碍的意思，令人联想到受伤的身体和沟通情感的阻碍。海瑟在这件作品里融入了自己的经历和感受。她是出生在德国的犹太人，为纳粹对犹太人的屠杀辗转到美国，而她的母亲在纽约因抑郁而自杀。《挂断》明显地表现了艺术家对冷漠的恐惧。由于在作品中增强了身体的存在感和个人的情感意识，伊娃·海瑟的作品为极少主义开辟了另一种方向，给看上去过于冷漠、刚毅的理性主义图像增添情感的力量。

20世纪60年代后期，在纽约工作的日本女艺术家草间弥生 (Yavoi Kusama) 的作品明确地体现了极少主义的物象与人的身体体验的结合。她善于运用各种圆点，她创造的柔软的、弯曲的、波浪形的生态形式与人的身体相呼应，她经常用大量色彩浓度很强的网点花纹加上镜子，大量包覆各种物体的表面，如墙壁、地板、画布等，给人视觉上愉悦感，同时，这些抽象的、绵延的、带有波普风格的装饰图案又仿佛是一种不断繁殖的病毒，令人产生幻觉。草间弥生曾说明这样的视觉效果来自于她个人与生俱来的幻觉，她认为这些点组成了一面无限大的捕捉网 (Infinity nets)，代表了自己生命的感受。在《镜子屋的无限性——永远的爱》(1966) 这件作品中，艺术家用极简的形式创造了带有强烈迷幻感的心理效应。镜子和光线使一个小房间仿佛延伸到无限，而观众的身心都会轻盈地漂浮在这个只有纯粹的空气和光的空间里。草间弥生还曾经把自己的作品带到日常生活之中。1969年时，她把八个助手带进了纽约现代艺术馆 (MoMA) 的池塘里，裸体摆出装饰性雕塑的姿态。

朱迪·芝加哥 (Judy Chicago) 以极少主义的形式创作了著名的女性主义的作品《晚餐》(The Dinner Party, 1979) 用象征女性性征的三角性展现，并且以女性的性器官形状呈现出餐盘，强调女性权力。尽管朱迪·芝加哥的《晚餐》从女性主义角度改变了极少主义的单一维度，但是，这件作品对女性性征的过分强调又使其陷入到本质主义、二元对立的逻辑之中。

70年代以来，艺术中对性别、种族和阶级的探讨通常被认为是后现代时期的开始，受到由德里达、福柯 (Michel Foucault) 等人发展起来的解构主义哲学影响，艺术家们认识到政治意识形态控制的文化结构有意无意地压抑和掩盖了社会文化中某些潜在的内容和意义，他们反对本质主义的固定意义，质疑所有的传统真理、宣言和价值标准，所有等级化的统治制度和机构，试图揭露任何现有的政治、社会和文化体制的特权和偏见。这种质疑更进一步加强了艺术家的个性，同时也加深了艺术对人性的剖析。

同性艺术家们用极少主义的形式表达自己独特的身体和精神体验。比如，死于艾滋病的艺术家菲利克斯·冈萨雷斯 (Felix Gonzalez) 创作的极少主义形式的糖果装置。他把上百个银色锡纸包装的糖果堆在美术馆的角落里，这些糖果的重量相当于他自己和死于艾滋病的同性爱人的身体重量的总和。身体在这里是隐形的，它们通过糖果而在场，而这些身体的替代品最终被观众取走。糖果的消失，也意味着身体的消逝。在1990年的另一件极少主义形式的作品中，菲利克斯·冈萨雷斯用一叠整齐摆放在地上的纸张来表示逝去的爱人的身体。这些纸张是蓝色的，蓝色象征男孩、忧郁、爱情和自由的天空，随着观众把它们一张接一张地带走，艺术家与观众一起完成了一种从有到无，又从无到有的爱的升华和精神的超越。

华裔美国艺术家林璎 (Maya Lin) 以极少主义的风格创作的越战老兵纪念碑具有重要的历史意义。这个黑色花岗岩建造的纪念碑呈 V 字型，坐落在华盛顿国家公园里，一端指向林肯纪念堂，另一端指向华盛顿纪念碑。在这个长达 75 米的纪念碑上，按时间顺序刻着所有越战中美军牺牲者的姓名。抛光的玻璃板仿佛是一面镜子，反射出每个观众的身体，令观众在观看时不由自主地反省到自身的存在和生存的现实。从高处看下去，整个纪念碑仿佛是从大地裂开的伤痕，象征着战争对人类从精神到肉体的伤害。它的平面性、延展性和反射性与传统纪念碑的崇高、宏大、雄伟形成了鲜明对比。尽管没有直接地表现人，林璎的纪念碑却更加凸显了人的在场。它超越了对胜利的颂扬，包涵着对战争和人性更深入的思考。

支离破碎的身体

从80年代末开始，西方当代艺术的理论和实践再次转向反美学的身体艺术，神经质的、破碎的、受损害的、丑陋的、非理想化的身体充斥在当代艺术中，表现的是人性的本能、身体和生命的脆弱。米歇尔·福柯曾经用"被规范的身体"(disciplined body) 理论紧密地联系他的谱系学历史研究方法，他说："身体是事件被刻下的表面，分离自我的核心，一个永久性瓦解的体积，谱系学，作为一种血统分析，因此而存在于身体和历史的咬合中。它的任务是揭示一个彻底被历史打上烙印的身体和解构身体的历史进程。"[13]福柯以身体为中心建立了新的"谱系学"研究模式，揭露社会建构的本质，他发现传统上认为可以逃脱理性主义历史发展逻辑的身体，实际上一直被各种不同的政体所"铸造"和"拆散"。[14]

与福柯的理论相呼应，当代艺术家们利用身体反抗性别、种族、国家等种种社会准则和制度对人性的压抑和束缚，用身体策略揭示隐藏的权利机制。不过，这一次艺术家们不再用真实的肉体，而是利用身体的图像和隐喻来避免本质主义的思维逻辑。罗伯特·梅普勒索普（Robert Mapplethorpe）拍摄的花朵和人体照片表现了在视觉艺术历史中通常被忽略的男性美、同性恋者对身体自由的渴望。辛迪·舍曼（Cindy Sherman）把自己装扮成各种不同的角色，比如：通俗电影里的人物、历史名画中的女性形象等等，有意揭露社会和历史对女性形象的规范和重新建构。她还用破碎的娃娃暗示在当代物质主义社会中，女性作为物欲控的投射物所承受的看不见的可怕暴力。奇奇·史密斯（Kiki Smith）用自己的作品质疑了谁在控制人类的身体这个根本性的问题。在1990年的《无题》中，奇奇·史密斯戏剧性地改变了传统艺术再现身体的方式，她用钢架支撑起一男一女两个真人大小的裸体蜡质人像，白色的液体分别从女人的胸部和男人的腿上流淌下来。艺术家通过展示失控的身体，对身份、法则等总体性概念发起攻击，挑战我们身体的完美形态，并重新演绎人性的心理创痛、迷恋和恐惧。罗伯特·戈贝尔（Robert Goher）用蜡像极为逼真地展示了身体的残肢。他的蜡质雕塑附带着真人的毛发、衣裤和鞋袜，有时还如同圣物般插着蜡烛，当它们从博物馆的墙壁上凸现出来时，总是给人以错愕惊诧的感觉，显示了被弗洛伊德在心理学中所定义的"不寻常"（uncanny）的矛盾现象。在弗洛伊德看来，"不寻常"本身就是某种正常，因为即便是微小的错位也能够解释出某种隐藏的不正常。这种不寻常重现了我们久以忘却的恐惧，打破了我们在日常生活现实中早已习以为常的惯例，具有超现实主义艺术的特点。戈贝尔的作品给予观众震惊的心理体验，从不同于以往的角度向观众揭示了这个拜物主义世界错位的现实。

在柏林墙倒塌，东西方意识形态的冷战结束之后，历史的概念被转换为新的问题和矛盾。90年代以来，全球化时代互联网的普及、卫星电线的流行、基因科技的突破令人感觉现代科技可以做任何事，甚至有可能给予人类不朽之身。那么，在一个人类和人工智能共存的"后人类"时代，人类是否可以利用信息所给予的各种可能性，不再被虚幻的名利所诱惑，更好地和这个越来越复杂的世界融合在一起呢？[15] 1994年，日本艺术家森万里子（Mariko Mori）在《和我一起玩儿》（Play With Me）、《情侣旅馆》（Love Hotel）、《红灯》（Red Light）和《地下铁》（Subway）等一系列照片作品中，以东京高科技中心为背景，把自己装扮成了一个具有人工智能的"后人类"女郎。她像是刚刚从漫画或是电脑游戏中逃逸到真实世界。她的身体形象既象征着男性在电脑游戏世界中寻求的性幻想，也象征着人们对数码时代高科技的期待。然而，她的虚幻性存在本身质疑了这种幻想和期待的可靠性和真实性。

另一位日本艺术家村上隆（Takashi Murakami）的聚酯玻璃钢纤维塑像《体液》系列同样展现了从日本电脑世界中走出来的"后人类"的完美形象。这些俊男靓女有着日本动漫画人物典型的可爱面孔和性感身体。在自娱自乐的运动中，他们裸露的身体源源不断地喷发出体液，标志着幸福的高潮。用这种通俗而又色情的卡通形象，村上隆讽刺了充满色情意味的消费文化，和"后人类"群体对于消费文化难以自拔的迷恋。马修·巴尼（Matthew Barnev）在"悬丝"（Cremastster, 1994—2002）系列里同样创造了他想象的"后人类"形象，其中分不清单性、双性、后性、半动物、半人身、半机械、半神话的各式各样的"超身体"图像，展示了人类超越各种法则和束缚的可能性。

然而，融入了最新生物技术的高科技真的能改变社会关系和人性吗？英国的前卫艺术家群体YBA（年轻的英国艺术家简称）们提出了更尖锐的问题。他们的作品中经常出现身体残骸、废物和器官机能的问题，比如达米·赫斯特（Damien Hirst）巨型的人体解剖像，查普曼（Chapman）兄弟性器官错位的裸体儿童塑像和以戈雅作品为原型塑造的残肢断臂，克里斯·奥弗利（Chris Ofili）用大象的粪便装饰的裸露的黑人圣母像，特瑞西·艾敏

(Tracev Emin) 弄脏的床上的避孕套和带血的月经棉塞等，他们的作品不仅揭示了商业、文化、宗教、道德等体制对身体的束缚，而且探讨了这个看似无所不能的科技社会中死亡和永生的问题。[16]马克·奎恩 (Mark Quinn) 用自己冰冻的鲜血创作了白雕像，又用他儿子胎盘和脐带的血塑造了儿子的头像。90年代，马克·奎恩创作了一系列如同古希腊罗马的石雕，它们看上去像是博物馆里保存的受损的古典文物，其实是现实生活中的真实人物雕塑。不同于传统的石雕和油画，他的作品中含有 DNA 的成分，保留了生命存在的真实痕迹。另外，他还创作了著名的伦敦特拉法尔加广场的《艾莉森·拉珀尔怀孕》(Alison Lapper Pregnant)。艾莉森·拉珀尔是一位高度残疾的英国女艺术家。马克·奎恩以古典的英雄纪念碑的模式塑造了她怀孕的形象，用这种方式挑战了所谓"英雄"与"完美"的概念，而英雄和完美这种高不可攀的标准本身就有可能是对身体残疾、乃至其他"不够完美""不够崇高"的社会边缘群体的暴力对待。罗恩·穆克 (Ron Mueck) 用硅胶塑造了许多超级写实的拟人雕像，其中有青春期手足无措的男孩、有孤独的天使、有丑陋的智障人、有酣睡的女人、有展示自己身体的孕妇，《死去的父亲》甚至冷静地展示了死亡本身。罗恩·穆克的作品看上去无比逼真，仿佛是现实生活的镜像，艺术家只是用缩小或是放大的尺寸才表现出艺术的虚幻。

最直接地展示死亡的作品还有达米·赫斯特的骷髅头。这件被称为《为了上帝的爱》(For The Love Of God, 2007) 的作品以涂有白金的真人头骨制成，镶有 8602 颗精致的钻石，其中包括头顶上那一个昂贵的心形钻石，其自身价值就已超过两千万美金，在白色立方画廊展出首次展出时标价五千万英镑，创下了还在世的当代艺术家中艺术作品的最高价格。赫斯特的这件作品继续探讨了人类生存的基本主题：生命、金钱的诱惑与死亡。由白金和钻石装点的头骨仿佛是一件圣物，它光彩照人、永不腐烂，恐怖可怕而又充满诱惑力。英国的前卫艺术家们对脆弱的、变异的、鲜血淋漓的身体甚至死亡本身的展示，不仅揭示了种族、性别、阶级等存在于现代商业体制之中的问题，而且提示我们，人的血肉之躯有别于机器，无论技术如何发达，物质如何富有，生命和人性一样真实地存在着，永远不可能被替换。

无论是真实的存在还是虚拟的图像，身体艺术强调的是人类最基本、最真实的感觉，是西方艺术理性主义哲学中"身体"与"精神"、感性与理性的二元对立论的不断加深的反抗。艺术家们用真实的肉身反对来自宗教、商业、社会、政治等各种体制对人的自由和个性的束缚。哲学家德勒兹 (Gilles Deleuze) 和加塔里 (Félix Guattari) 早在 1972 年的著作《反俄狄浦斯，资本主义和精神分裂症》(Anti-Oedipus, Capitalism and Schizophrenia) 就曾提出了以身体对抗体制的方式。他们反对弗洛伊德的建立在父权社会体系上的俄狄浦斯情结，在阿尔托的理论基础上发展出精神分裂分析法，提出以根茎状的繁殖和再生模式取代树状的传统社会形态模式，打破任何形式的集权体系，提倡更加自由的、符合人性的生存模式。此后，德勒兹进一步提出了阿尔托式的"没有器官的身体"(body without organ) 理论。1989 年，他以培根 (Francis Bacon) 的犹如一团生肉般的画面为例阐释了反抗一切体制束缚的身体理论。[17]可见 90 年代以来，当代艺术实践和理论再次转向了身体并不是偶然的现象，这种转向意味着来自于肉身的真实感觉终于打破了后现代主义时期屏蔽现实的仿真图像，让人们再次触摸到了一个真实的、人性化的世界。

（原文发表于《美术研究》2012 年第 1 期）

注释

[1] 也有人说他的死可能只是不慎摔到窗外。参见 Seid1, Claudius (1993-02-15), "Fegefeuer der Sinnlichkeit", *DER SPIEGEL* (7/1993), pp. 234-237。

[2] 参见Susie J. Tharu, "The Sense of Performance: Post Artaud Theatre", *New Delhi*, 1984, pp. 57。

[3] 参见 Raymond Williams, The Politics of Modernism, *Verso*, London and New York, 1989, pp. 87-88。

[4] 参见 Thomas McEvilley, "Stages of Energy: Performance Art Ground Zero?" *Abramovic, Artist Body*, Charta, 1998。

[5] Carolee Schneemann first performed her seminal work Interior Scroll at the Women Artists: Here and Now exhibition at Ashawagh Hall in East Hampton, NY.

[6] Schneemann, Carolee, "Interior Scroll", More Than Meat Joy: Complete Performance Works and Selected Writings, ed. Bruce McPherson, New York: Document Text, 1979, pp. 234-5.

[7] Jacques Derrida, *Writing and Difference*, Trans. ALan Bass, University of Chicago Press, Chicago, 1978, pp. 232-50.

[8] Jacques Derrida, *Writing and Difference*, Trans.ALan Bass, University of Chicago Press, Chicago, 1978, pp. 174-5.

[9] Mary Kelly, "Re-Viewing Modernist Criticism." Originally Published in Screen and reprinted in Art After Modernism: Rethinking Representation, ed. Brian Wallis, New Museum of Contemporary Art and David R. Godine Publishers, New York, 1984, 1981, pp. 95.

[10] Laura Mulvey, *Visual Pleasure and Narrative Cinema*, in *Screen*, No.6. 1975, pp. 6-18.

[11] Maurice Merleau-Ponty (Colin Smith trans.), *Phenomenology of Perception*, Routledge, London, 1945/62, pp. 408.

[12] Maurice Merleau-Ponty, "The Intertwining-The Chiasm" (1961), in *Claude Lefort,* ed. Alphonso Lingis. trans. *The visible and the Invisible*, 1968, Northwestern University Press, IL, pp. 146.

[13] Michel Foucault, "Nietzsche,Genealogy History" in *Rabinow*, ed. The Foucault Reader, 1984, Pantheon Books, New York, pp. 83.

[14] Ibid. 87.

[15] 关于"后人类"的概念，参见Katherine Hayles, *How We Became Posthuman:Visual Bodies in Cybernetic, Literature, and Information.* University of Chicago, Chicago. 1999,1.

[16] 对于这些作品的具体分析，参见邵亦杨，《后现代之后》，上海人民美术出版社，2008年。

[17] Gilles Deleuze, Francis Bacon: *The Logic of Sensation*, First published in French in 1981, translated by Daniel W.Smith, University Of Minnesota Press, 2005.

作者简介

邵亦杨（1970— ），生于北京。1993年毕业于中央美术学院人文学院美术史论系，获学士学位。1996年、2003年毕业于澳大利亚悉尼大学美术史论系，分别获硕士学位、博士学位。现任中央美术学院教授、博士生导师，人文学院副院长。

被边缘化了的沃土
——京都近现代日本画坛

王云

2011年在中国美术家协会中国中青年美术家海外研修工程项目资金的支持下，我前往日本调查了当代京都画坛最具代表性的八位画家：秋野不矩（1908—2001）、上村松篁（1902—2001）、上村淳之（1933— ）、岩仓寿（1936— ）、竹内浩一（1941— ）、小岛悠司（1944—2016）、浅野均（1955— ）、小池一范（1962—2014）。调研工作由访谈、作品调查和文献调查三部分构成。其中，在山本绿博士协助下，对画家、画家后人以及相关研究者进行的访谈尤为重要。以此为基础整理成文的《当代京都日本画坛访谈报告》[1]，在国内第一次比较系统地、详细深入地介绍了京都画坛的现代日本画发展情况，生动地呈现了京都画家们对日本画的观念、创作和教学等方面的独到体会和深度思考。

时隔数年重阅旧文，感慨万千。特别是接受采访的最年轻的小池一范在2014年11月成了不归之人。记得当时在那狭小凌乱的画室里，先生眼睛亮闪闪的，充满了期待，对我说的第一句话是："很高兴你能关注日本画，现在没有人提日本画，没有人写半个字！"当时这句话并没有引起我的足够注意，在之后的文献调查过程中，我才发现现代京都日本画坛被日本现当代美术史写作边缘化的程度远远超出我的直观感受。这实际是日本近代国家美术体制与近现代美术史写作倾向共同作用的结果。而且，在艺术形式多元化的今天，日本画似乎又已显陈旧，不再是学术界关注的热点。

在日本近代美术史文献中，不同时期的各种通史、断代美术史都记载着明治年间轰轰烈烈的新日本画运动。阅读这些文献会得到这样一个印象：以横山大观（1868—1958）、菱田春草（1874—1911）为旗手的东京画家，在芬诺罗萨（1853—1908）、冈仓天心（1863—1913）的理论指导下劈荆斩棘，高亢悲壮地进行着革新，而京都日画坛则显得较为沉寂。对于明治之后的日本画，学者们仍然侧重关注东京。2003年的题为"转型中的'日本画'"的研讨会（香川县）以及第二年出版的论文集《"日本画"——内与外之间》[2]，对迄今为止的日本画研究成果作出了阶段性的总结，虽不乏新鲜论断，但考察对象偏重东京日本画坛，不能令人释然。在近几年出版物中，颇具影响力的《日本近代美术史论》[3]则更片面。书中对于东京的新日本画运动叙述详实，以竹内栖风（1864—1942）为代表的京都日本画家却全然不在其视野之内。

这一倾向的形成有其必然的一面。首先东京方面的新日本画运动在文献中的凸显地位是近代国家政治作用的结果。明治时期，即在近代国家成立之初，日本急需一种新的美术代表国家。1889年开课的东京美术学校，肩负着统一国民意识和引起西方关注的任务，他们必须要创造出历史性与现代性兼具的新型的东方艺术。于是，画家们试图通过选取历史神话主题和洋风化表现手法，来表现具有历史正统性的日本近代国家的形象[4]，并试图为日本绘画寻找新的出路。在这种为国家而美术的大环境中，东京美术学校画家的活动必然成为时代的关注焦点。再者，明治以后根据国家需要效仿西方构建日本现代美术史观的任务主要由东京帝室博物馆（现东京国立博物馆）、东京美术学校（现东京艺术大学美术系）、东京帝国大学（现东京大学）等机构承担也是一个重要原因。二战之后，日本国家对美术干预越来越少，理论

图1 圆山应举，《雪松图》，1765年

图 2 竹内栖凤，《威尼斯之月》，1904 年

图 3 竹内栖凤，《莊苑风薰》，1926 年

家们却依旧轻视或忽视京都画坛，侧重评价首都东京的画家。如《日本近代美术史论》的作者高阶秀尔以及 2003 年香川县研讨会的与会人员，过度评价东京方面的画家几乎是出于惯性，令人感到缺少理论家应有的宏观视野和思考。正因如此，在 2011 年笔者向中国美术家协会提交报告之前，通过官方渠道介绍到中国的当代日本画也以东京方面为主。

这一倾向在 2014 年出版的《美术之日本近现代史：制度、言论、造型》中略有改观。此书近代部分的讨论，对京都所用笔墨不多，但仍认可明治时期在日本画领域形成了东京和京都两大中心的事实，而且相对于受政治干预较多的东京，京都方面发展稳定。对于早于东京美术学校（1887）成立的京都府画学校（1880）、活跃于二战之前的国画创作协会（1919）等京都画家团体，土田麦仙、福田平八郎等画家均给予了肯定。[5] 但在二战之后直至今的现代美术部分，有关日本画的内容仍然是令人感到遗憾的。二战之后，反传统、反艺术的新兴艺术引起了作者更多的关注，日臻成熟的日本画被归入了传统问题的范畴，而且随着时间的推移被关注的程度越来越低。值得注意的是，在"日本画的成熟"小标题下，第七章作者列举了东山魁夷、高山辰雄、杉山宁、平山郁夫、加山又造、横山操六位画家。[6] 这六位无一例外地活动于东京，前五位都是东京美术学校的毕业生，横山操毕业于东京的川端画学校日本画部夜校。略去横山操，基本上就是中国美术界接受的日本画的基本面貌。当日本画的创作环境越来越自由，画家们逐渐可以专注于个人创作的时候，潜心作画的京都画家完全被无视了。70 年代以后的内容，对于日本画本体问题的讨论基本局限于材质问题，而且同样以东京艺术大学的毕业生为主要讨论对象。[7]

在艺术创作与学术研究获得了高度自由、基本不受国家政治干预的今天仍然会出现这种现象，就必须思考存在于这些论著背后的研究方法是否有问题了。在此，我们依旧以《美术的日本近现代史：制度、言论、造型》为例来讨论。这本从社会制度论切入撰写的巨著，从文献入手，侧重考察社会制度对美术产生的影响，体现了日本近现代美术史研究的最新成果。这种源自西方的艺术社会学的研究方法有它的优越性，能够帮助我们了解作品的诞生环境等重要问题，然而单一地使用这种方法，局限性也是非常明显的。如就本文讨论的日本画问题而言，这一写作角度带来的必然结果就是关注处于近代日本国家政治体制中心的东京画坛，忽视受国家政治体制影响较小的京都画坛。研究绘画，却不以绘画本体为重，一味侧重考察作品主题以及社会影响等问题是主要原因。战后出生的日本新一代美术史研究者，接受的是西方美术史研究方法的训练，加之刻苦求实的民族本性，使日本的美术史研究几乎在各个领域都取得了丰硕的成果。就近现代日本画研究而言，图像、主题、材料等问题往往是学者们关注的焦点；对于作品的气息（精神）、笔墨等主观性较强、不了解东方绘画传统就难以理解的问题，学者们往往避而不谈，或者讨论得很少。然而，后者对于理解包括日本画在内的东方艺术至关重要。缺少了这一块儿，研究或难免失之偏颇，或有隔靴搔痒之感。

一百多年前，在"日本画"这一概念诞生不久，菱田春草就曾经预言："今日，诸如油画、水彩画等谓之'洋画'者，与吾人所绘之'日本画'，在较远的未来，将毫无差别。以日本人之心构思、以日本人之手创作之画，均将被视为日本画。彼时，将无今日'洋画'与'日本画'之别，只有绘画材料之异。"[8]在这里，菱田春草强调的是日本人的"心"和"手"。"心"是什么？是感觉，是精神，是理想，是梦，是日本人感知世界的角度。"手"则是表达感觉、精神、理想、梦的方法，即表现心中世界的方式。菱田春草之所以在晚年能够创作出《落叶》（1909）那样能够代表明治时代的杰作，与这一认识应该是直接相关的。同样，战后日本画之所以能够在中国与西方之间开拓出一块田地，就是因为它具有不同于中国或西方的观察世界的角度和表现世界的方法。就"心"与"手"这两点而言，在日本近现代美术史中被边缘化了的京都画家，受古都京都深厚的传统文化影响普遍具有更为深入的思考，这使他们在思变之时显得更为慎重和冷静。

早在18世纪后半期，圆山应举（1733—1795）在沈南蘋（1682—？）花鸟画以及眼镜绘、动植物图谱等西方绘画的影响下，强调细心观察对象，注重写生，写生成为其主要的绘画素材。然而，应举并没有完全否定传统，而是在西方合理透视的启发下重新认识和肯定了中国传统的写实主义绘画，并在此基础上选择了一条实证性的改良路线——写生与传统笔墨结合。他调整了传统绘画的构图，以传统的笔墨塑造有立体感的物像，却慎重地回避了西画的阴影与写实性的空间（图1）。因此，应举的绘画是写实性的，但却是东方传统的写实，与当时江户流行的完全西化的洋风绘画有着本质的区别。

竹内栖凤与横山大观、菱田春草的活动年代相当。不同的是，横山大观、菱田春草对绘画语言的改革是从放弃线（笔墨）开始的，栖凤则是在继承圆山四条派写生传统的基础上，立足东方传统笔墨学习西方绘画。竹内栖凤在明治33年（1900）的欧洲行之后，开始大胆借鉴西方。1904年的《威尼斯之月》（图2），主题、构图等均来自透纳的《明月》（1797）。这一时期的作品中，栖凤试图以小写意式的传统笔墨表现油画的光影等写实性要素，但东方式的写意与西方式的写实是截然相反的两种追求，难以克服的技术困难使两者的结合显得有些直接。不过，栖凤晚年的写意水墨中对西方的借鉴却是成功的。在大正15年（1926）的《庄苑风薰》（图3）等作品中，栖凤放弃了对西方绘画的光影明暗等写实性要素的追求，以干擦与浓淡晕染相结合的笔墨发展了东方的水墨传统。在透纳1840年的《奴隶船》等作品中，我们可以看到极为类似的笔触。学者们推测这一发展很可能源于透纳绘画的启示。而透纳等西方印象派画家的绘画风格是在东方绘画的影响下形成的，也就是说启发栖凤的实际是东方化了的西方绘画。

1945年之后，表现主义、抽象主义、超现实主义、立体派等西方前卫艺术开始席卷日本，日本画对传统的否定发展到了极致，"日本画灭亡论""日本画第二艺术论"风行一时。同时，日趋自由的创作环境成就了一批引领时代的画家，日本画逐渐走向成熟。与东山魁夷同时期的秋野不矩、上村松篁是京都日本画坛的代表。

花鸟画家上村松篁是1984年的文化勋章获得者，是日本大正时期人物画家上村松圆（1875—1949，图4）的儿子，其子上村淳之也是花鸟画家。为了深入了解鸟类的生活，上村淳之在祖母松圆购买的奈良市郊外的山头上修建了一座大规模的禽舍，饲养了1000多只珍禽。在这里，鸟类的生活环境近似野外。上村松篁早年生活在京都，后半生与儿子上村淳之在奈良郊外的画室共同写生、作画，其作品中的鸟类也从早年的"家禽"变成了目光犀利的"野生鸟类"。《池》（1954年）、《夜鹭》（1958，图5）、《双鹤》（1979，图6）等作品构图独特，同时具有东方绘画注重的空灵之感，是父子二人共同梦境的反映。特殊的家庭背景使他们受时代风潮的影响不大，作品中静谧、唯美的意境源于他们平静的内心，形式上受到了宋代院

图4 上村松圆，《焰》，1918年

图5 上村松篁，《夜鹭》，1958年

体花鸟画以及欧洲古代岩画、中世纪宗教绘画的启示。

人物、风景画家秋野不矩早年受后印象派、野兽派影响较大，创作了一批注重构成和色彩的作品。1962年秋野不矩作为客座教授前往印度泰戈尔国际大学教授日本画，此行为她的绘画带来了转机。印度广阔的大地、虔诚的信仰以及这片土地上苦难深重的人们强烈地震撼了画家，印度炙热的阳光、绚烂的色彩、质朴的民间艺术也与不矩与生俱来的顽强秉性、对色彩的敏感、对质朴之美的喜爱产生了共鸣。印度成为画家后半生创作的重要主题。不过，画家作品中印度并非真实的印度，而是画家质朴、灿烂的印度梦。以《聚集的苦力》(1984)、《土房子（生命之树）》(1985年)、《恒河》(1999，图7)等为代表的系列作品，为渐入形式化的战后日本画注入了一股朴素、真挚的清风。1999年秋野不矩获得日本政府的文化勋章。

在他们之后，京都画坛依旧非常活跃。

风景画家岩仓寿是抒情、朦胧风格的代表。不知道画家在多大程度上借鉴了"日本纳比派"博纳尔（1867—1947）的风格，但作品《叶樱》(1994，图8)、《漫步林间》(2010)流露出的抒情、清冽之感无疑来自画家对日本风土的独特感受。

反潮流的动物画家竹内浩一反对没有意义的画面肌理，积极使用一度被摒弃了的传统绘画表现手法——线。宋代院体花鸟画对其观念的转变产生了决定性的影响，《裳Ⅱ》(1988，图9)、《漂》(1988)等作品中人格化的动物形象恰似画家本人忧郁的自画像。

人物画家小岛悠司是前卫日本画的继承人，卓越的画面构成能力与色彩感觉使其在这一领域独领鳌头。画家在深受各种西方艺术影响的同时，受书法等东方传统艺术影响，笔触激情饱满，在绘画语言上回归了东方绘画的表现性传统。代表作品有《群像'71—27》(1971)、《秽土——生》(2006，图10)等。

风景画家浅野均立足日本桃山时代的装饰绘画传统，广泛学习东方古典绘画，积极借鉴日本浮世绘风景画和克孜尔壁画的色彩、构成与装饰元素进行创作。画家强调装饰必须有生活根据，因此非常重视写生，注重在通过写生过程中深入感受生活。来自生活的真切感受使其画面的装饰颇为生动，没有流于形式化。代表性作品有《夕阳中的远方》(1986)、《高原风光》(1999，图11)、《思想者》(2009)等。

风景、人物画家小池一范（1962—2014）创作思路自由，不再着意思考"东""西"，是新一代日本画家的典型。《有晾台的街道》(1994)等描绘噪杂都市街景的早期作品温暖抒情，素材往往直接来自写生，《秋千—牵手》(2008)系列作品以"人"为主题的作品走到了抽象与具象之间，追求写生鲜活感的同时，试图将某种观念注入到作品之中。《翅膀》(2011，图12)、《风的形状》(2014)着意借鉴了一些活泼自由的儿童绘画表现形式。

在2011年的访谈中，以上几位京都画家分别用"梦""精神""生命""意象"等不同的象征性词汇表达了自己心中的理想，从作品中也可看出他们对绘画内在精神的追求。秋野不矩笔下的印度是画家质朴而灿烂的金色梦境，渗透着画家对人性美的追求。上村淳之、竹内浩一的花鸟与动物，一者甜美，一者忧郁，颇具人格魅力。岩仓寿的作品亦如诗人的梦境，纯、静、浪漫。浅野均作品中的装饰源于画家心中的桃花源，既理想又真实。小岛悠司通过"秽土"系列作品，将他对人性的反思宣泄于图像与笔墨之中。小池一范的作品，无论是早期的街景，还是近期以"人"为主题的作品，都透露出温馨动人的气息。

他们虽然绘画风格各异，却无一例外地重视写生，认为写生是感受生活的过程。秋野不矩以速写记录此时此刻的感受。上村淳之强调像古人一样写生处于动态之中的对象。岩仓寿认为画家不应只依赖眼睛，应以全身心深入地感受生活。竹内浩一以物我同一的写生状态为

图6 上村淳之，《双鹤》，1979年

图7 秋野不矩，《恒河》，1999年

图8 岩仓寿，《叶樱》，1994年

理想。浅野均通过写生深入感受生活，并从中提炼出了一些具体的绘画表现手法。小池一范一方面强调通过反复的写生扩展思路、进行提炼，一方面重视随兴的小速写。出现于画家笔下的是感受，而非物像。注重写生，也就是注重绘画创作中的自我感受。

京都作为千年古都，传统文化存在于人们的日常生活之中，无形之中影响着画家们。京都画家似乎是自然而然地矜平躁释，保持着对传统文化的敬畏之心，并负有一种历史使命感。对于传统文化，他们或是从正面吸取，或是反其道而行，都不敢无视。在接受访谈的画家当中，延续传统的有上村淳之、竹内浩一、浅野均。特别是竹内浩一在35岁之前从事织锦图案设计工作，这一经历对其日本画创作影响颇深，画家有意无意地保留了一部分工艺绘画的制作手法。从表面上看，反传统的秋野不矩、岩仓寿、小岛悠司、小池一范实际上是回到了一个更久远、更普泛的传统之中。特别是小岛悠司在学生运动的反体制思想以及西方现代艺术的影响下，对父亲的传统友禅图案以及京都随处可见的精致的障屏画产生了逆反心理，试图寻求一种反精致、反优雅、更强有力的表现手法，其后期作品中的充满激情的笔触却在无意之中与东方的大写意合拍。从这一点讲，小岛悠司后期的作品不仅是东方的、传统的，而且非常彻底。

在旧文《横山大观与竹内栖凤》[9]中，我提出大观与栖凤都是天心"东方的理想"的实践者，但大观作品中的"东方"的胜利多体现在主题上，而栖凤作品中的"东方"则多体现在笔墨上；就绘画语言本体而言，后者是东方绘画传统的胜利。在栖凤之后，京都日画坛仍然是现当代日本画的重镇，对"心"与"手"的关注，使画家们的作品虽主题各异、形式多样，却同样具有浓郁的日本气息。从作品看，与东京的画家一样，京都的画家们无疑也是"东方的理想"的实现者。然而，受日本近代国家美术体制以及日本近现代日本画研究者的研究方法所限，在日本近现代美术史的写作中，京都便成了一片被边缘化了的沃土。

图 9 竹内浩一，《菱 Ⅱ》，1988年

图 10 小岛悠司，《秽土——生》，2006年

注释

[1] 王云，《当代京都日本画坛访谈报告》，中国美术家协会编，《2010年度中国中青年美术家海外研修工程成果汇编》，成都：四川美术出版社，2011年12月。

[2]「日本画」シンポジウム記録集編集委員会編，《「日本画」内と外のあいだで》，ブリュッケ、2004年。

[3] 高階秀尔，《日本近代美術史論》，筑摩書房，2006年。

[4] 佐藤道信，第二章《「美術」概念の形成期——一八七〇年代——一九〇〇年代初頭》，《美術の日本近現代史：制度、言説、造型》，東京：東京美術，2014年1月，第113頁。

[5] 佐藤道信，第二章《「美術」概念の形成期——一八七〇年代——一九〇〇年代初頭》，《美術の日本近現代史：制度、言説、造型》，第86-87頁、第107頁。

[6] 光田由里，第七章《日本「現代美術」の成立と展開——一九四五年——七〇年代前半》《美術の日本近現代史：制度、言説、造型》，第596頁。

[7] 70年代到90年代的内容，对于日本画本体问题的讨论，内容仅涉及1995年第十三届山种美术馆奖展中，中上清的送展作品完全使用丙烯颜料一事。（北澤憲昭，第八章《美術館の時代——一九七〇年代後半—九〇年代前半》《美術の日本近現代史：制度、言説、造型》，第718頁）

20世纪90年代到2010年的内容，在"现代美术中的日本画"小标题下，作者同样是以东京艺术大学的毕业生为主要讨论对象，侧重关注了日本画的绘画材质问题。（暮沢剛巳，第九章《「美術」の終焉——一九九〇年代—

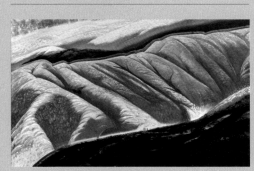

图 11 浅野均,《高原风光》,1999 年

图 12 小池一范,《翅膀》,2011 年

二〇一〇年代》《美術の日本近現代史：制度、言説、造型》,第 826-828 页)

[8] 吉沢忠,《日本近代絵画全集 16 菱田春草》,东京：講談社,1963 年,第 60 页。

[9] 王云,《横山大观与竹内栖凤》,《中国美术馆》,2008 年第 4 期。

作者简介

王云(1971—),生于陕西西安。2004 毕业于日本神户大学,获文学博士学位。2005 年执教于中央美术学院人文学院。现为中央美术学院人文学院副教授。

俄罗斯历史画中的道路选择
——以苏里科夫历史画创作为例 [1]

于润生

一、苏里科夫的历史画三部曲

俄罗斯的巡回艺术展览协会（Товарищество передвижных художественных выставок，以下简称巡回画派）是俄国19世纪下半叶最重要的艺术现象，也是俄罗斯民族艺术流派最具代表性的团体。这个画派在风俗画、风景画和肖像画等领域中取得了巨大的成就。与此相比，巡回画派的历史画创作成果显得并不突出，而像苏里科夫这样的以历史画为主要创作体裁的画家，几乎是绝无仅有。俄罗斯学者德·萨拉比亚诺夫（Д.Сарабьянов）认为，巡回画派的历史画在苏里科夫之前的发展，呈现点状而非连续不断的线性特征，即这种体裁类型在多个艺术家的创作生涯中都有表现，但是所占的比重和呈现出来的风格各不相同。[2] 萨拉比亚诺夫提出，19世纪下半叶的俄罗斯历史画在苏里科夫之前从学院派基础上发展出两种主要类型，即心理阐释类型和日常化类型。[3] 苏里科夫以这两种类型历史画创作为基础，继承并发扬了各自的长处，将历史画的创作推上了新的高度，在19世纪80年代创造出令人赞叹的历史画三部曲：《射击军临刑的早上》（1881）、《缅什科夫在贝留佐沃》（1883）、《女贵族莫罗佐娃》（1887）（图1－图3）。

研究苏里科夫的创作过程有很大的困难，主要是因为很多草图和写生稿没有保留下来。在与三部曲有关的材料中，没有一件是为创作《射击军临刑的早上》而完成的草稿，而《缅什科夫在贝留佐沃》几乎没留下任何相关的写生，只有与《女贵族莫罗佐娃》这件作品有关的材料保留下来得较多，包括油画稿、素描和水彩草稿、大量的写生稿。另外，苏里科夫是一位自尊心相当强的艺术家，为了表明自己在创作过程中完全独立的思考过程，他在接受沃洛申（М.Волошин）的访谈时常常强调自己未受到任何历史材料或者他人影响，常常讲述各种灵感迸发的时刻。[4]

由于有这些困难，我们只能大体复原这三件作品创作的过程。

1878年，苏里科夫来到莫斯科完成基督救世主大教堂的订件，这时候他有机会直接接触到另一个俄罗斯。在19世纪的俄罗斯，莫斯科是与当时的首都彼得堡相对立的文化符号，它是改革之前的俄国首都，拥有不同于其他城市的特殊地位。它象征着古罗斯，代表着未被彼得改革所触动的传统，与彼得堡相比拥有更为悠久的历史和保守的氛围。这种环境与苏里科夫家乡的文化氛围相呼应，引起他的好感。也恰是莫斯科引发了画家对彼得一世历史功绩的思考。苏里科夫回忆："某天当我走过红场的时候，周围没有一个人。我站在离宣谕台不远的地方盯着至福瓦西里大教堂的轮廓陷入沉思，突然眼前清晰地浮现出射击军受刑的场面……但是，应当说，画一幅关于射击军受刑的画这个想法我早就有了，当我还在克拉斯诺亚尔斯克的时候就想过它。但从来没有这样清晰、明确地想到过这个构图。"[5]

虽然苏里科夫早就产生了创作《射击军临刑的早上》的想法，但是直到1881年才画出第一幅初稿，而正式的作品完成于1887年。就在这一年，《女贵族莫罗佐娃》的第一件草图也产生了，但"莫罗佐娃"这件作品直到1887年才最终完成。在中间这段时间里，苏里科夫创

图1 苏里科夫，《射击军临刑的早上》，218cm×379cm，布面油彩，1881年，莫斯科特列季亚科夫画廊

图2 苏里科夫，《缅什科夫在贝留佐沃》，169cm×204cm，布面油彩，1883年，莫斯科特列季亚科夫画廊

图3 苏里科夫，《女贵族莫罗佐娃》，304cm×587.5cm，布面油彩，1887年，莫斯科特列季亚科夫画廊

作了《缅什科夫在贝留佐沃》。按照画家自己的说法，创作"缅什科夫"这件作品是为了最终能够完成"莫罗佐娃"而做的"休息"。

苏里科夫回忆《缅什科夫在贝留佐沃》的创作过程时提到，"1881 年，我带着妻子和孩子搬到乡下居住，住在佩列尔瓦（Перерва）。那是一个非常小的小木屋，我们一家住在里面很拥挤，而且外面下雨，不能出门。我当时曾经设想过，什么人会坐在这样狭窄的小房子里。后来有一次到莫斯科买画布，在经过莫斯科红场的时候，我突然想到缅什科夫。眼前立刻浮现出一幅画面，整个构图的关键都有了。我连画布都忘了买，立刻返回佩列尔瓦……1883 年就展出了作品"[6]。

完成"缅什科夫"之后苏里科夫到国外旅行，访问了德国、法国、意大利。尼·马什科夫采夫（Н.Машковцев）认为，苏里科夫这样做是因为受到了他的老师巴·奇斯佳科夫（П.Чистяков）[7]的影响，带有效仿前辈大师亚·伊万诺夫（А.Иванов）的意味。[8]可惜的是，画家没有像自己的前辈一样留下关于这次旅行的记录。在他的速写本中有这样一段笔记："吉洪拉沃夫（Тихонравов Н.С.）的文章，《俄罗斯通讯》，1865 年，9 月，扎别林，古代俄罗斯王后的家庭日常生活，105 页，关于女贵族莫罗佐娃。"[9]这段记录说明俄罗斯考古学家的研究为苏里科夫艺术创作提供了参考。然而他对莫罗佐娃的兴趣可能产生于更早的时候。画家的故乡西伯利亚生活着许多信仰旧礼仪教派的逃民，他在很小的时候，就曾经听亲人中年长妇女讲述过这位女贵族的故事，这一早年的记忆同很多类似的生活经验一起形成了这个艺术形象的来源。他在访谈中还提到："有一次我曾看到一只乌鸦落在雪地上，它的一只翅膀没有收起来。（看上去）好像一块黑斑落在了雪地上一样。此后很多年我都无法忘记这块斑点。后来就画出了《女贵族莫罗佐娃》。"[10]

进入 19 世纪 90 年代，苏里科夫的作品也与他 80 年代的创作在题材选择上有很大差异。画家后来的创作已经逐渐离开了真实的历史事件这一前期创作的重要根据，转向描绘充满爱国主义情绪的历史传说以及民间故事主题。这种转变实际上消解了严格意义上的历史画赖以独立存在的内核，与其他绘画体裁发生融合。[11]

我们将这三件作品看作一个整体主要出于如下考虑：

首先，我们从苏里科夫的回忆中得知，三部曲的构思并不是线性地先后产生的，尤其是后两部作品的创作时间有所"交叉"。

其次，苏里科夫的历史画三部曲虽然描绘了俄罗斯历史上的不同事件，但是这些事件都集中在 17 世纪下半叶和 18 世纪上半叶所谓的俄罗斯转折时期（переломное время）。对于苏里科夫所处的 19 世纪末 20 世纪初而言，他所描绘的时代是俄罗斯从中世纪向近现代转变，从落后的亚细亚国家向现代欧洲国家转型的历史大变革时期。虽然"莫罗佐娃"最后完成，但是主题事件发生最早。如果将它看作俄罗斯 17 世纪尼康宗教改革的一个缩影，那么它象征了古老、封闭、保守的俄罗斯宗教生活的第一次重大改变；"射击军"所反映的彼得改革则是俄罗斯政治和文化生活告别中世纪的转捩点，与前者有逻辑上的继承关系；而缅什科夫作为彼得改革的重要参与者，描绘其个人的悲剧结局的 1883 年作品也为这个描绘"转折时期"的三部曲上了句号。

这三部曲都是以英雄和人民作为描绘对象，而人民又被分为"同情者"和"旁观者"，我们还需注意到这些主题表达方式的变化。

首先，"射击军"前景中的同情者都被相同的个人主观的痛苦情绪统一起来，这一点遭到了批评家的指责，而经过"缅什科夫"的"练笔"后，"莫罗佐娃"中的人物各自拥有了不同的情绪，但是他们又因为意识到个人生活即将发生巨变（断裂）而被统摄在相同的心理状态之下：即亲眼见证这一刻所无法抑制的震惊。（图 4）

第二，旁观者的形象在"射击军"和"莫罗佐娃"两件作品之间也发生了明显的变化。在"射击军"中，聚集在宣谕台上的围观人群和执行任务的士兵表现出的情绪主要是置身历史事件之外的冷漠，所有围观的民众几乎没有流露出同情射击军的表情，射击军的家人表现出来的则是一致的哀伤。而在"莫罗佐娃"中的旁观者，则表现出更为丰富多样的形象，展现了人民大众中不同的个体。例如在画面左侧嘲讽女贵族的路人和生活中随处可见的起哄的儿童中，画家着意描绘了一个从"无知"到"觉醒"转变的形象，即站在雪橇左侧的男孩。（图 5）

另外，作品中性别角色所起的作用也逐渐呈现出丰富的面貌，"射击军"中的女性只有受侮辱和受损害的软弱的形象，而在"莫罗佐娃"中女性的形象拥有更加复杂的特点。

"射击军""缅什科夫""莫罗佐娃"这三部曲共同组成了苏里科夫的悲剧系列。

二、作为历史叙事的历史画

在历史学研究中首重史料的真实，强调以史料可靠恰当为一切研究的基础。我们在针对苏里科夫的评价中也看到了类似的说法。斯塔索夫认为在他的作品中体现出历史性（историчность），一看到他的作品"就感到自己仿佛身处那个时代的莫斯科……处在当时的那些人之中"[12]。

但是今天我们已经不能继续用这样的观点看待历史画。要重新客观评价苏里科夫的成就，需要重新探讨历史画和历史研究之间的关系。历史画属于历史叙事，但不同于历史学研究，历史画中的历史事件描述有来自史学研究的部分，也有来自于历史科学之外的部分。我们应当用一般的历史叙事而非历史学研究的标准来衡量和评价苏里科夫的作品。按照李幼蒸的看法，"历史事件编叙"首先应当体现史实的实证性压力、知识性限制和意识形态框架这三者之间的互动关系。[13]下面我们就从这三个方面分析苏里科夫的历史画创作。

1. 宏大现实主义

苏里科夫的作品受到最多赞扬的地方就是他尊重考古学细节，在作品中体现了史料的实证性准确。人们可以在他的作品中看到许多保留历史原貌的形象。尤其在建筑物形式、人物的服饰特点、家具和马车上的装饰性纹样，手杖和念珠等小物件的描绘中，苏里科夫都借鉴了当时历史研究和考古学的成就，尽可能地以 17、18 世纪保留下来的物件作为写生的原本，运用自己高超的写实技巧加以再现。（图 6、图 7）

这种创作的理念受益于他在美术学院中接受的教育，同时吸收了 60 年代风俗画发展所取得的成就。而还有一些画家走向历史画的"心理阐释"方向，他们的作品常常弱化具体历史事件，在风景或建筑背景中描绘人物，重视历史人物的特殊心理状态刻画，实际上这是一种向肖像画靠近的做法。苏里科夫 80 年代的创作建立在前两者的基础之上，既充分体现了"自

图 4 苏里科夫，《披紫色皮裘的小姐》，《女贵族莫罗佐娃》草图，62cm×35.7cm，布面油彩，1886年，莫斯科特列季亚科夫画廊

图 5 苏里科夫，《沉思的少年》，《女贵族莫罗佐娃》草图，34.5cm×25cm，布面油彩，1885年，莫斯科特列季亚科夫画廊

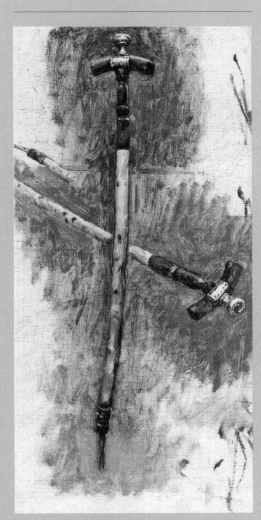

图 6　苏里科夫,《手杖》,《女贵族莫罗佐娃》草图,53cm×27cm,布面油彩,1885年,莫斯科特列季亚科夫画廊

图 7　苏里科夫,《乌卢索娃的帽子》,《女贵族莫罗佐娃》草图,18.8cm×26cm,布面油彩,1885年 -1886年,莫斯科特列季亚科夫画廊

然主义的学院派"[14]在细节塑造方面的成就,又利用了"历史肖像画"刻画人物心理状态的长处。肖像画创作对苏里科夫来说不仅仅是为了解决特殊心理问题的图景,他将模特看作特殊的造型现象,目的是表现人的性格。[15]因此在他的作品中,形成了如上文所分析的,不同人物复杂的内心之间的"复调"。

但是需要特别指出的是,苏里科夫的艺术创作并不完全等于历史事件的图画再现。就像我们在列宾著名的作品《伊万雷帝杀子》中看到伊万雷帝拥抱着被手杖击中的儿子遗体这个动人的画面并不是历史事实的描写一样,射击军被处决的地点也并不在红场上,这个画面完全是苏里科夫"灵光一现"虚构出来的。[16](图 8)

对历史事件做完全忠实的描绘究竟是不是历史画创作必须完全遵守的准则? 这个问题一直引起很多争议。法国历史画家大卫(Jacques-Louis David)曾经努力描绘"真实历史"中的事件,而遭到挫折,转而采用隐喻和类比的手法。类似的情况也发生在我国画家董希文创作《开国大典》的过程中。

虽然在苏里科夫创作过程中,并未因受到外在的政治和经济压力而改变作品面貌,但是他为了使绘画获得最大表现力和感染力而经受了内在的艺术"压力"。他不仅要表现画面细节的真实、呈现人物内心的真实,更重要的是为了突出这一重大历史事件的标志性和决定性,寻找"合适的"舞台。出于这种思考,无名的小村庄虽然是事件的真实发生地,但是其历史意义仅存在于历史学和考古学层面上。对于渴望赋予这件事件以历史意义的画家和希望"见证"(虽然这是不现实的愿望)历史转折点的观众来说,那个小村庄仅是历史空间中的"偶然"地点,只有能承担这一重要性的历史环境才是合适的,因此不难联想到象征 18 世纪的俄罗斯精神和政治中心的莫斯科红场。苏里科夫早就将建筑遗迹看作历史的见证人,他早年从西伯利亚经过莫斯科前往彼得堡的途中时,就曾这样描述莫斯科的建筑物:"我把建筑物看作有生命的人一样,看到他们的时候,就会问:'你们看到过、听到过、见证过(什么)? '"他还认为"莫斯科的教堂令我着迷。尤其是至福瓦西里大教堂,他对我来说就好像有血气一样"。[17]所以射击军受刑的场面不仅要有"生年不满百"的人群在场见证,更需要瓦西里大教堂、宣谕台和克里姆林宫这样能够历经数百年依然屹立不倒的建筑物的见证。也唯有这样,历史事件的重大意义才能通过这些恒久的形象被 19 世纪乃至以后任何一个时代的观众所感受到。

可以这样说,苏里科夫作品中的空间不是事件发生的现实物理空间,而是与事件本身历史地位相符合的象征性的历史空间(историческое пространство)。同样地,作品中的时间也不是物理时间,而是"创造性的,带来转折的——是以人的生命为单位衡量的历史时间"[18]。通过这样的时空手段,苏里科夫赋予历史事件以超越性的表现舞台,获得了宏大的图像效果,因此有研究者将苏里科夫的创作方式称为"宏大现实主义"(монументальный реализм)。[19]

以上三个方面概括了苏里科夫在历史画创作中表达"历史性"的方法,即保存了"历史真实"的细节,探求画中人物的"心理现实主义",将事件安排在象征性的历史时空中。历史画的目的不在于印证历史事实而是为了揭示历史规律,通过描绘历史事件来达到对历史宏观过程的哲学思考。

2. 俄罗斯道路

其次,历史画创作还受到知识性限制。在上文我们已经看到苏里科夫主动借鉴当时历史和考古学研究的最新成果,历史研究对他的艺术创作有影响作用。

19 世纪俄罗斯历史学研究的最根本问题是探求所谓"俄罗斯道路"的问题。道路选择不仅是历史研究的核心问题，也是整个俄罗斯思想界讨论的核心。可以说以彼得改革为标志的俄罗斯历史"转折时刻"改变了俄国的历史，而对彼得改革之后俄罗斯发展道路的全面讨论从19世纪30年代开始，引发了所谓斯拉夫派和西欧派的大对立，思想的对立贯穿着整个19世纪。

在这个问题中基本的假设是像俄罗斯这样的"迟到的民族"，如何才能不被历史前进的潮流抛弃。对立的双方做出的回答虽然各有侧重，但是基本态度处于如下两极之间的立场之上。如果说从18世纪初彼得大帝改革开始到19世纪初，俄国国力的上升证明了西化道路的"有效性"，那么进入19世纪之后欧洲社会矛盾不断激化的现实，1830年和1848年的欧洲革命，都让俄国知识分子对所谓"西欧道路"的合法性和唯一性产生了怀疑，不少人已经发出呼吁希望俄罗斯走"另一条路"，"避免当代欧洲可怜的命运"[20]。

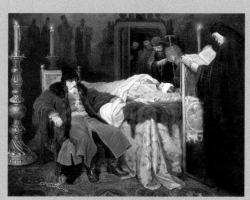

图 8 施瓦尔茨，《伊万雷帝在被他杀死的儿子遗体旁》，71cm×89cm，布面油彩，1864年，莫斯科特列季亚科夫画廊

19世纪下半叶，索洛维约夫、克柳切夫斯基等俄罗斯历史学家都强调了俄罗斯历史发展的特殊性。能够解释落后民族跨越式发展的逻辑之一就是强调俄罗斯历史道路的断裂性。这一看法被俄罗斯学者继承，时至今日依然有人认为"断裂性不是一个时刻，而是俄罗斯历史的长期特点。"[21]而苏里科夫这三件作品主题都表现了历史转折的关键时刻。《女贵族莫罗佐娃》所表现的历史实际上俄罗斯中世纪生活的结束和新时代的开始，是俄国社会精神生活的一次重大分裂（东正教分裂派产生）。《射击军临刑的早上》则标志着俄罗斯政治旧体制被彼得改革的暴力所终结，俄国从此走上欧洲化道路。而《缅什科夫在贝留佐沃》则表现了彼得改革引起的旧势力的反扑，但从历史影响来说比前两次转折意义相对要小。在这三件作品中，苏里科夫建立了"俄罗斯历史的原型"（архетипы русской истории）。[22]他通过对俄罗斯历史转折关键时刻的刻画，充分展示了各种彼此矛盾斗争的不同力量的作用。阿尔巴托夫认为，苏里科夫80年代的作品没有采用"历史插图"（иллюстрация к истории)的做法，用视觉形象来为历史事件作插图，也不像他90年代之后的作品那样充当"历史演义图示"（наглядное пособие к историческому повествованию），而是在历史细节和历史哲学二者之间找到了平衡点，是对历史真实的"猜测"（《угадывание》，исторической правды）。[23]

李幼蒸认为，"由历史哲学所处理的历史演变图式研究有关宏观过程真实性问题，它与历史事件的经验因果真实性性质迥异"[24]。对历史演变图式进行哲学式关照所需要的视角往往不同于探求经验性真实的视角，按照苏里科夫的话，有时需要"更大的智慧"。这种智慧就体现在我们上文中曾经提到过的表达"历史性"的方法，尤其是构建象征性历史空间的能力中。

苏里科夫作品将历史转折时刻的信息传递到每个观众的心中，这一事实也超越了物理时空的限制，就像米·阿列诺夫（М.Алленов）所说的那样："古老的莫斯科罗斯和俄罗斯的彼得堡时期的界线并不在18世纪初，而在随时可感受到的现代日常生活经验中。"[25]对历史哲学层面的视觉关照反映了对象世界历史规律性的过去存在，也表现了主体世界对对象世界的投射和反思，萨拉比亚诺夫曾经指出："苏里科夫的创作体现了历史事件和现代性的复杂关系……（他）不同于其他任何历史画家，并未用历史画面来图解当代观念。但是他的历史和自身所处的时代又密切相连。"[26]

3. 人民问题

苏里科夫不仅要在作品中描绘历史事件、揭示事件所昭示出了民族历史道路，还试图通过自己作品说明在历史道路上前进所依靠的动力。苏里科夫作为19世纪下半叶深受科学实证主义影响的一代人，已不满足于在宗教意识形态框架下解释历史发展动力的做法。他吸收了斯拉夫派思想家和民粹主义者对"人民问题"（проблема народа）思考的成果，形成了具有个人特点的历史意识形态。

所谓"人民问题"是19世纪下半叶俄罗斯思想界的核心问题。人民问题的提出与斯拉夫派和西方派争论有很大的关系。官方用"东正教信仰、君主专制和人民性"（православие, самодержавие, народность）这一口号概括俄罗斯民族性。[27]这个口号在不同程度上被斯拉夫派知识分子接受，尤其是"人民性"这一含义模糊的提法比前两者更容易为各种民族主义者所接受，因此成为许多争论的焦点。

对人民问题的讨论主要包括互相联系的两个方面：人民的历史地位和作用；人民的福祉和社会进步之间的关系。

对人民的历史地位和作用的讨论本质上是两种彼此对立的历史观的辩论。一些人认为人类的一切历史都应当归功于英雄人物的行动，而另一部分人则认为历史是由无名的人民集体创造的。前一种观点在19世纪最集中的代表者当属英国思想家卡莱尔，其著作《英雄，对英雄的崇拜和历史上的英雄业绩》被翻译到俄国，轰动一时。

在英雄崇拜的情绪下讨论人民问题也充满了英雄主义情绪。虽然人民的命运，人民的过去和未来是社会关注的焦点，但是人民概念逐渐被"神化"，这也是导致民粹派运动产生的重要原因。可以说民粹派运动就是以人民的名义展开的英雄主义运动，其参与者实际遵循的是"英雄与群氓"的英雄史观。[28]民粹派的英雄主义史观集中体现在尼·米哈伊洛夫斯基（Н. Михайловский）的文章《英雄和群氓》（1882）、《再论英雄》（1891）、《再论群氓》（1893）之中。米哈伊洛夫斯基的文章很好地解释了民粹派运动的全部意识形态，并暴露必然导致运动失败的内在的矛盾。这个矛盾就在于，民粹派虽然以人民作为运动的旗帜，但是并不真正相信人民具有历史创造的主动能力，他们是纯粹的精英主义者，始终认为激发人民运动的"第一推动"来自于"英雄"。就像在一篇1861年发表的民粹派早期纲领中所认为的那样，年青的一代"是能够为整个国家的幸福牺牲个人利益的人"，是"人民的领路人"。[29]在这种精神的鼓舞之下，才产生了著名的"到民间去"运动，知识分子启蒙民众的精英主义理念被付诸实践。民粹派知识分子所设想的未来和卡莱尔所鼓吹的"英雄世界"没有本质的不同。二者的唯一区别在于民粹派相信英雄可能产生于人民之中，而卡莱尔认为英雄是来自于人民之外的"先知"。

在这样的背景之下看待苏里科夫三部曲中所表现的内容，就会发现不同于前者的意识形态框架。如前所述，苏里科夫的三部曲中的主题是人民大众、英雄人物和历史发展之间的关系。一般认为，"苏里科夫最先将历史呈现为人民大众的运动"[30]。在苏里科夫生活的时代也有类似的看法，斯塔索夫评论《女贵族莫罗佐娃》是一件表现"人民大众"（великая масса людская）之中个人命运的作品，是个人与人民之间的和声与独唱（хор и солисты）。[31]

从三部曲创作的时间顺序来看，在第一件作品《射击军临刑的早上》中，历史的英雄人物显然是位于中景的彼得一世及其助手，而射击军为代表的大多数形象是人民的代表。彼得改革所指向的历史方向，即国家的强盛、社会发展显然与射击军所代表的人民的福祉之间存在不可调和的矛盾，而历史冲突的结果所表现的正是英雄人物用强力的手段，以人民的牺牲为代价，实现个人意志，取得历史进步，揭示了强者决定历史发展的历史逻辑。在第二件作品《缅什科夫在贝留佐沃》中，缅什科夫公爵这位历史英雄成为了历史发展的代价，成为政治斗争牺牲的个人。它补充了第一件作品的历史逻辑，说明英雄人物也只是历史发展的工具这层含义。第三件作品《女贵族莫罗佐娃》所揭示的历史逻辑则更为深刻，如果把莫罗佐娃看作为寻求真正信仰，使人民获得救赎而自我牺牲的历史英雄的话，那么这件作品虽然再次强调了个人无法对抗历史发展的潮流，但是凸显了人的意志在历史选择中的崇高意义。

从三件作品创作的时序上我们可以发现苏里科夫对历史思考的不断深入，他的观点和陀思妥耶夫斯基（Ф.Достоевский，1821—1881）对历史发展的态度有近似之处。陀思妥耶夫斯基在自己最后一件大型作品《卡拉马佐夫兄弟》（1879—1880年）中表达了不能以痛苦换来和谐，不能用个人的牺牲赢得社会的发展的观点。在陀思妥耶夫斯基的思想中，每个个体都具有不可重复的意义，因此不能牺牲个人换取社会的进步。陀思妥耶夫斯基还进一步指出了由于人的自由意志而不能被当做社会进步的代价，使得每个个体都不自主地成为社会进步的阻力，因而对人类全体而言，每个个体都有罪，这种罪恶感使得个人无法寻得真正的幸福。为了解决这种无法避免的矛盾，只有每个个体都在自由选择中自我牺牲，才能赎洗罪恶，从而获得真正的幸福，最终实现人类的幸福。苏里科夫的三部曲从创作时间维度上恰好反映了这种思想。我们没法证明苏里科夫是陀思妥耶夫斯基的追随者，但伟大作家的思想对生活在同一时代的伟大的画家来说，必不陌生，绘画作品和文学作品可能反映了同样的社会思潮。

三、结论

本文以19世纪下半叶俄罗斯历史画创作为背景讨论了苏里科夫历史画三部曲《射击军临刑的早上》《缅什科夫在贝留佐沃》《女贵族莫罗佐娃》创作的过程和艺术特点。并以作品的主题为基础从表现历史真实、描绘历史哲学图景以及构建意识形态三个方面探讨了苏里科夫历史思维的特点。这三件作品不仅分别具有独特的艺术特色，而且彼此呼应，形成了内在逻辑前后接续、画面主题互相关联、艺术手段不断完善的三部曲。他在创作三部曲的过程中逐渐解决了历史画叙事、逻辑架构和意识形态架构三个层面的问题，实现了用宏大现实主义手法表现大历史的目标。

雅·图根霍尔德（Я.Тугендхольд）非常恰当地评述了苏里科夫在历史画创作中所取得的成就，他说："苏里科夫……成为我们最伟大的历史画家并不因为他把握住了神秘的历史真实和考古学的细节，而是因为他和托尔斯泰一样，理解了由民众力量、集体热情所创造的历史中的普遍、宏伟、内在的真理。"[32]

参考文献

《俄国民粹派文选》，北京：人民出版社，1983年。

李幼蒸，《历史符号学》，桂林：广西师范大学出版社，2003年。

刘建国、马龙闪，《论俄国民粹主义的文化观》，《哲学研究》，2005年第12期。

Алленов М.М, Евангулова О.С., Лифшиц Л.И. Русское искусство X—начала XX века. М.: Искусство, 1989.

Алпатов М.В. Этюды по истории русского искусства. М.: Искусство, 1967.

Машковцев Н.Г. Из истории русской художественной культуры. М.: «Советский художник», 1982.

Сарабьянов Д. История Русского искусства второй половины XIX века. М.: Издательство

Московкого университета, 1989.

Сарабьянов Д. Русская живопись XIX века среди Европейских школ. М.: «Советский художник», 1980.

Стасов В.Избранные сочинения. В трех томах, М.: Искусство, 1952.

Тугендхолд Я.Из истории западноевропейского, русского и советского искусства. М.: «Советский художник», 1987.

Эфрос А.М. Мастера разных эпох. М: «Советский художник», 1979.

注释

[1] 本文得到中国国家画院资助，以《中外重大题材美术创作研究》书稿部分章节为基础改写而成。

[2] Сарабьянов Д. История Русского искусства второй половины XIX века. М., 1989, с. 213.

[3] Там же, с. 213-215.

[4] Волошин М., Суриков В. Записи М. Волошина (Материалы для биографии) // Аполлон. 1916, No. 6/7.

[5] Суриков В.Н. Письма. Воспоминания о художнике. Л., 1977. с. 214. Цит. по: Сарабьянов Д. История Русского искусства второй половиныXIX века. М., 1989, с. 225.

[6] 这段叙述虽然与画家对前一件作品创作过程的回忆有很大相同之处，但没有别的材料可作为依据推翻它。Цит. по: Машковцев Н.Г. Заметки о картине «Боярыня Морозова» // Из истории русской художественной культуры. М., 1982, с. 194.

[7] 常译作契斯恰科夫。

[8] 亚历山大·伊万诺夫（1806-1858），俄罗斯历史画家，代表作品有《基督向人民显现》（1837-1857）。

[9] 吉洪拉沃夫（Тихонравов Н.С., 1832-1893），俄罗斯语言学家、考古学家、文学史家。Цит. по: Машковцев Н.Г. Заметки о картине «Боярыня Морозова» // Из истории русской художественной культуры. М., 1982, с. 196.

[10] Цит. по: Там же, с. 197.

[11] Алленов М.М, Евангулова О.С., Лифшиц Л.И. Русское искусство X—начала XX века. М., 1989, с. 393, 394.

[12] Стасов В. Выставка передвижников // Собранные сочинения. Т. 3. М., 1952, с. 59.

[13] 李幼蒸，《中国历史话语的结构和历史真实性问题》，出自《历史符号学》，桂林：广西师范大学出版社，2003年，第48页。

[14] 阿·埃弗罗斯（А. Эфрос）用"学院派的自然主义"这个词称呼晚期巡回画派中进入学院体系的画家，指借用自然主义绘画技法创作学院派题材（历史画）的做法。而发生在19世纪70年代巡回画派刚刚兴起时的情形与此正好相反，不少美术学院中的画家受到巡回画派的影响，开始关注自然主义题材，但是他们依然沿用学院传统的技法作画。此处反前人之意而用之，称为"自然主义的学院派"。См.: Эфрос А.М.Мастера разных эпох. М.: «Советский художник», 1979, с. 222-223.

[15] Сарабьянов Д. История Русского искусства второй половины XIX века. М., 1989, с. 244.

[16] 伊万雷帝的儿子受伤之后过了几天才死去，这个主题在施瓦茨的作品中也有所体现。射击军被处死的实际地点

在普列奥布拉任斯科耶村（Село Преображенское）。

[17] Цит. по: Машковцев Н. Г. Заметки о картине «Боярыня Морозова» // Из истории русской художественной культуры. М., 1982, с. 195.

[18] Алленов М.М, Евангулова О.С., Лифшиц Л.И. Русское искусство X—начала XX века.М., 1989, с. 385.

[19] 直译为"纪念碑式现实主义"。萨拉比亚诺夫认为这种创作方式以写生研究为基础，包括外光和色调和谐等因素。Сарабьянов Д. История Русского искусства второй половины XIX века. М., 1989, с. 229.

[20] 《致青年一代》，出自《俄国民粹派文选》，北京：人民出版社，1983年，第6-9页。

[21] Алленов М.М, Евангулова О.С., Лифшиц Л.И. Русское искусство X— начала XX века. М., 1989, с. 389.

[22] Сарабьянов Д. История Русского искусства второй половины XIX века.М., 1989, с. 220.

[23] Алпатов М.В. Композиция картины Сурикова «Меншиков в Березове» // Этюды по истории русского и скусства. М., 1967, с. 127.

[24] 李幼蒸，《中国历史话语的结构和历史真实性问题》，第41页。

[25] Алленов М.М, Евангулова О.С., Лифшиц Л.И., с. 389.

[26] Сарабьянов Д. История Русского искусства второй половины XIX века. М., 1989, с. 217.

[27] 1833年由时任教育部长乌瓦罗夫（Уваров, С. С., 1786-1855）提出。

[28] 刘建国、马龙闪，《论俄国民粹主义的文化观》，《哲学研究》，2005年，第12期，第62-69页。

[29] 《致青年一代》，出自《俄国民粹派文选》，北京：人民出版社，1983年，第5页。

[30] Сарабьянов Д. История Русского искусства второй половины XIX века. М., 1989, с. 216.

[31] Стасов В. Выставка передвижников // Собранные сочинения. Т. 3. М., 1952, с. 60.

[32] Тугендхолд Я. Памяти В.И. Сурикова // Из истории западноевропейского, русского и советского искусства. М., 1987. с. 187.

作者简介

于润生（1980— ），生于辽宁大连。2003年毕业于北京大学外国语学院俄语系，获学士学位。2006年毕业于中央美术学院人文学院美术史系，获硕士学位。2012年毕业于莫斯科国立罗蒙诺索夫大学历史系，获博士学位。研究方向为外国美术史、俄罗斯美术史。2006年至今任教于中央美术学院。现为中央美术学院人文学院副教授。

注释

[1] 画面无签名，作品上有入藏时的中文记录"阿夫切尼珂夫"。

[2] 画面无签名，作品有入藏时的中文记录"巴东诺夫"。

[3] 比克·凡·德·柏（荷兰）是由利斯贝克·比克 和 乔斯·凡·德·柏于 1995 年成立的艺术家组合。

[4] 可能为岸波百草居（1889-1952）1900 年代使用的号。

[5] 画面签名不可辨，作品有入藏时的中文记录"岱斯奈尔"。

[6] 画面无签名，作品有入藏时的中文记录"干任斯基"。

[7] 库克雷·尼克赛是 3 位苏联画家从 1926 年起共同从事创作所使用的笔名。他们是 M.B. 库普里亚诺夫（Михаил Васильевич Куприянов, 1903-1991）、П.Н. 克雷洛夫 (Порфирий Никитич Крылов, 1902-1990)、Н.А. 索科洛夫 (Николай Александрович Соколов, 1903-2000)。

[8] 画面签名不可辨，作品上有入藏时的中文记录"鲁达珂夫"。

[9] 画面无签名，作品背面有中文记录"曼休"。

[10] 画面签名不可辨，作品上有入藏时的中文记录"涅列茨基"。

[11] 乔治·费希霍夫目前所知道的签名就多达 7 种，我馆藏品的画面签名为 J Claiton。

[12] 可能为西晴云（1882-1963）。

[13] 画面签名不可辨，作品上有入藏时的中文记录"山基里科"。

[14] 画面签名不可辨，作品上有入藏时的中文记录"亚布洛什克"。

图书在版编目（CIP）数据

中央美术学院美术馆藏精品大系. 外国艺术卷 / 范迪安
总主编. -- 上海：上海书画出版社，2018.4
ISBN 978-7-5479-1731-2

Ⅰ. ①中… Ⅱ. ①范… Ⅲ. ①艺术－作品综合集－世
界 Ⅳ. ①J111

中国版本图书馆CIP数据核字(2018)第048142号

中央美术学院美术馆藏精品大系（全十卷）

总 主 编　范迪安

执行主编　苏新平　　王璜生　　张子康

中央美术学院美术馆藏精品大系·外国艺术卷

主　　编　唐　斌　　华田子　　胡晓岚

责任编辑　王　剑　　陈元棪
审　　读　朱莘莘
责任校对　郭晓霞
设计总监　纪玉洁
技术编辑　顾　杰
特约审读　邵亦杨　　王　云　　于润生
　　　　　李垚辰　　徐　研
编辑校对　周冠羽　　刘希言　　邓　瑶
藏品工作　李垚辰　　徐　研　　姜　楠
　　　　　王春玲　　华　佳　　华田子
　　　　　窦天炜　　杜隐珠　　高　宁
藏品拍摄　谷小波　　北京天光艺像文化发展有限公司
　　　　　北京雅昌艺术印刷有限公司
出 品 人　王立翔

出版发行　上海世纪出版集团
　　　　　上海书画出版社
地　　址　上海市延安西路 593 号　200050
网　　址　www.ewen.co
　　　　　www.shshuhua.com
E-mail　　shcpph@163.com
制　　版　北京雅昌艺术印刷有限公司
印　　刷　北京雅昌艺术印刷有限公司
经　　销　各地新华书店
开　　本　787×1092 毫米　1/8
印　　张　33.25
版　　次　2018 年 4 月第 1 版　2018 年 4 月第 1 次印刷
书　　号　ISBN 978-7-5479-1731-2
定　　价　1000.00 元

若有印刷、装订质量问题，请与承印厂联系